王朔——著

动物凶猛

北京出版集团公司
北京十月文艺出版社

目录

给我顶住

“你回头看那个刚进门的男的，就是那个瘦高个穿运动衣的。”赵蕾对周瑾说。

餐馆里人头攒动，笑语喧哗。正午强烈的阳光被茶色玻璃隔在室外，室内阴凉昏暗，那个男人的脸在阴暗的光线下显得苍白，高大的鼻子十分突出。

“这人怎么啦？”周瑾注视了那个男人一眼，转回头来低声问赵蕾。

“我跟你说过的那个国家恋爱队的一号种子选手——就是他。”

“是吗？”周瑾又回头看了那男人一眼，那男人正在四下逡巡，寻找空座，“没觉得他特别有魅力嘛。”

“长得是挺一般，说他是国家恋爱队的是因为他那种专业态度：冬练三九，夏练三伏，时不时自个把自个集训一下，就为了一旦上场，攻必克，战必胜，关山平——”赵蕾慢悠悠地拖长声音叫那个男人。

“这人特有意思，把他叫来聊聊你就知道了。”赵蕾说，堆起笑脸朝闻声回头的关山平招手，“到这儿来，这儿有空座。”

关山平神色凝重地向两个女人走来。赵蕾拿起放在一张空椅上的坤包，让他就座。

“你怎么跑这儿来了？”赵蕾点起一支烟，高高翘在撅起的嘴唇上，笑眯眯地问。

“普天之下，莫非王土。你们来得，我怎么就来不得？”关山平落座，招呼服务员前来为他陈设餐具，拿起菜单仔细地看了数遍，只点了很少一点饭菜，交回菜单，捡起筷子，大模大样吃起赵蕾她们的菜，津津有味。

“你就在这一带上班是吗？”他边吃边摇头，“太奢侈了，一个普通的中国女子，开饭随便填点粮食也就罢了，还上什么馆子？”

“我们也就是业余下下馆子，专业吃粮食。”赵蕾笑着说，“你呢？寻花问柳可有结果？”

“遇见过一些部优产品，充其量也只是填补一下国内空白。”

“你看我们这位小姐怎么样？”赵蕾笑着指周瑾。

“别胡闹。”周瑾红了脸。

关山平的目光在周瑾脸上停留了片刻：“如果有路子，宽给分的话，也就是区级八强。”

“你别太狂。”赵蕾笑着说，“也不瞧瞧自己那德性，配个胡同八强还得趁别人竞技状态不佳你超水平发挥。”

“我真不是狂，也无意摘取什么世界冠军。”关山平的饭菜上了，他一扫而空，“我只是要找我那一个。”关山平抹抹嘴站起来，指指脑子，“跟这里的那形象对上就行了。”

“只怕那主儿还没生哪。”赵蕾含笑瞅着他。

“生是肯定生了，这点我坚信。现在需要的只是去找去撞——大范围捕捉。”

“只怕你面对面也认不出来。”赵蕾笑吟吟地把长长的烟灰弹落在烟缸内。

“不会。”关山平眨眨眼，“她总该认出我吧……再见了二位，慢慢聊着。”他扬长而去。

“只怕真见了你又傻了说不出话了。”

“那就对了。”关山平头也不回地说，出了门。

“你觉得怎么样——这人？”赵蕾对周瑾笑问，“神吗？”

“没觉得。”周瑾摇头，“觉得这人特酸。”

“是吗，那就是说印象还挺深。”赵蕾意味深长地瞅着周瑾笑。

“又傻。”周瑾说，看赵蕾，“你老看我干吗？”

赵蕾笑着把目光移开：“这种人不多见。”

“五点半，一路车站，不见不散，我马上出来。”我放下电话，锁好办公桌的抽屉，拎起皮包出了办公室。

街上，夕阳耀眼，车流滚滚，行人熙攘。我快步穿过马路，向街对面的电车站走去。

“嗨！”一个女人迎面站在马路边冲我打招呼。

我左右看着来往的车辆，从车辆间隙一个箭步蹿上对面便道，继续大步往前走。

那女人跟上我，同我并肩走。

“怎么碰上你了？”我边走边说，“这么大城市，几百万人，怎么就这么巧？”

“我也觉得巧，刚才我路过这里时就想，没准能碰上你，结果真碰见了你。”

“真是偶然。”我停住脚，转过头。

“太偶然了。”赵蕾笑着说。

快车道与慢车道隔离带上的公共汽车站牌林立，同一车型不同线路的通道式公共汽车络绎而来陆续走开，人群蜂拥而上鱼贯而下，时而集聚成片时而疏疏落落。周瑾站在站台上，翘首迎视每一辆驶来的公共汽车。当公共汽车停下三门齐开时她便被人流淹没，公共汽车开走后，她便被单独剩下继续注视着车来的方向。

夕阳灼热的光毫无遮拦地倾泻在站台上，等车的面孔换了一拨又一拨。

她有些焦躁了，不胜烤晒，穿过慢行道来到街绿树荫下的那排商店前。一家食品店设有一个冷饮窗口，白色的冰柜嗡嗡作响，柜上排列着各色诱人的清凉饮料，她买了瓶刚从冰柜拿出结着冰霜的酸奶，站在那里用吸管慢慢地吮，眼睛仍盯着站台上每一辆公共汽车下来的人。

她看到中午吃饭时见到的那个瘦高个脸苍白的男人从一辆公共汽车的中门下来，下来后便留在了站台上，仰着下颏注视着车来的方向等候。一班又一班公共汽车驶来，她等的那人没来，那个男人也没走。他回过头往身后张望寻找，她连忙转过脸，把喝空的酸奶退回冰柜，走到一片树荫下继续等候。

潮水般的自行车从她面前不停驶过，快车道上并行的两条车龙争先奔驰，更远的地方同样的两条车龙和潮水般的自行车在逆行线上以同样的节奏和速度奔驰。

她看到那男人在车流人群中再次回头，这次她没有回避。两个人的视线相遇了，目光在对方同样毫无表情的脸上停留了一两秒钟，然后各自移开。

那男人下了站台，停停绕绕穿过纷乱紧凑的自行车流，上了便道，到她刚才买过酸奶的冷饮窗口去买冷食，边走边侧着身子，用一只手掏裤兜里的钱。

她用眼角余光注意到他捧着一个撕坏的雪糕包装盒走进这片

树荫。

隔着几个人她也能感觉到听到他在大口喀哧喀哧咬冻得硬邦邦的雪糕，咀嚼肌一下一下地牵动冰冷雪白的奶晶在热烘烘坚硬的齿腭间粉碎融化……她向一边悄悄移挪了几步。

又一辆公共汽车进站，站在他们之间、周围的人纷纷跑向站台，投入耀眼的阳光中。

这一瞬间，他们四周没有任何人。

她情不自禁看了他一眼，他佝着腰哈着嘴皱着眉，全力以赴地吞咽着冰凉的雪糕，接着侧眼看她。再也不能视若无睹了，他们俩脸上都做出认出对方的笑意。

“你也等人？”

她点点头。

“我也等人。”他向她靠了几步，递过仍盛有数支雪糕的纸盒，“快帮我吃两根，我不行了，雪糕也快化了。”

“我不……刚吃过。”

“就别客气了，又不是什么值钱的东西。”

她犹犹豫豫伸手在纸盒里，欲拿又止。

“拿两根，两根。”他不由分说，拿出两根雪糕拍在她手里，自己又拿起一支绕着解纸，嘴里边嘶嘶吸着气：“真凉，牙都倒了。”

“干吗买这么多？”

“多买多吃呗。本来是给我等那主儿预备的，她没来，就只当是给你买的吧。”

“纸别扔，小心卫生检查。”她碰了一下他的手。

他回头一看，见一个戴红袖章的老头儿在他们身旁停下，盯着他手里的雪糕纸等待。

他们相视一笑。他对老头儿大声说：“大爷，你甭费劲了，我这纸不会扔在地上。”

接着他连她的纸一并拿过，塞在纸盒里，大步向不远处的一个果皮箱走去，把纸盒团成一团塞入投掷孔，一手各举一支裸体雪糕回来。

“你等的那个人还没来？”

周瑾抑郁四顾：“也许出了什么事。”

“说不定不来了。”

“会来，我想他会来，我们说过，不见不散。”

“都这么说，都约得死死的，可到头来该来的总是不来又有几个是等到的？”

“你们也说了不见不散？”

“一样。”关山平微笑着说，“这个俗套儿不具有任何约束力。”

“他一定是碰上了什么事，过去从不失约。”

时已黄昏，夕阳敛尽光焰，缩为猩红浑圆一团，直线坠落。天仍很亮，微风袭来，些许凉意。街上的车流稀了，但闲人更多了。前方十字路口愈见热闹，小商小贩出市了，五光十色的服装摊密密丛丛布满路口四周。

“估计咱们等的人全不会来了，起码今天不会来了。”

周瑾闷闷不乐地一语不发，十分失望。

“显然你是第一次挨涮。”关山平安慰周瑾，“没关系，多涮几次就好了，就习以为常了。”

她白他一眼。

“真的。”关山平推心置腹地说，“你瞧我，天天在全城各个路口等人，从来没等到过，仍然乐此不疲。别让我等着，等着便一劳永逸。”

“从来没等到过？我不信。”周瑾微笑。

“从来没等到过！来的都是我不想见的人。”

“你等谁自己都不知道？”

“当然知道，所以来的不是我等的我一眼就能认出。”

“可逮着你啦！”随着一声唱，那个戴红箍的老头儿从树后跳出，得意地指着对关山平说：“捡起来，甭废话。”

不知什么时候，地上出现了两根雪糕棒，关山平的雪糕几乎没吃因而也没扔化成半截。再一看周瑾，显然她吃完雪糕随手无意地把棒丢在脚下。

“有什么呀有什么呀，逮着就逮着您何必那么兴奋。”周瑾未及动作，关山平已迅速弯腰将雪糕棒捡起来，掏出钱给老头，大声说：“不就是罚点款嘛，搞得跟打了多大的胜仗似的。”

“什么叫兴奋？我这是管你！不对啊？”老头儿声色俱厉。

“对对，您全对，我全错，您可有理了。”

“走吧走吧。”周瑾拉关山平，“交了钱就别跟他说了。”

“不是，我就纳闷，人怎么都这样，占点理就雷霆万钧逮贼似的。这要让他占个天大的理儿，我还别活了。”

“说什么呢？你给我回来！”老头儿在后厉喝。

“我不回来，你有本事追我！”关山平被周瑾拉拉扯扯地快步走，挣着身子回头冲老头喊。

“你致什么气呀？”周瑾紧紧挽着关山平，不让他停步，“这点气就受不了，还是中国人吗？”

关山平笑了。

周瑾含笑责备道：“真是给自己找不自在，还得我安慰你。”

“不就因为是个老头儿嘛，真正穿官服的咱也不敢说什么。”

二人拐入一条僻静林荫斜街，脚步慢下来。

“这是哪儿啊？我怎么不认得？”关山平打量着四周黑魆魆静悄悄的院落房脊。长长的围墙沿街曲伸逶迤不休，遮住了所有门户窗口灯火人语，使整条街显得空旷但不荒凉，因为街树郁郁葱葱。

“我也没来过。”周瑾说，“没想到城里还有这样的路离大街那么近。”

“这下去通哪儿？”她问。

“不知道。管他呢。你们原来打算上哪儿？”他问。

“没说好，只说见了再定——你呢？”

“也没准，只想到了再说。”

“那咱们就走下去吧，看这条路通哪儿。”

“你本来等谁？”

“我的那一个。”周瑾低头看着自己前后交替的脚尖说。

“真是吗？我可知道很多人经常搞错。”

“我想是。”周瑾抬头看了关山平一眼，又低下头，“当然有些出入，但我不挑剔。”

“等不及，怕耽误？”

“怕没有。”

“万一有了呢？突然出现了，你怎么办？”

“不知道，自认倒霉呗。”周瑾笑着抬起头注视关山平，“我没你那么浪漫。听说……”她笑着不往下说了。

“我知道你听说了什么，听谁说的。”关山平故作悲壮，“我是准备死等，不将就。”

“你真相信有吗？真的存在？”周瑾好奇地问。

“绝对相信，问题仅仅是机缘。”

“听说你到处化缘。”

“殚精竭虑，始终待机，相时而动。”

“怎么想的？”周瑾笑，“穷且益坚？”

“你不妨将其称之为一种追求。”关山平得意地说，“相当执著的追求。”

“怕是闷的吧？”

“你这么说我就不喜欢你了。”关山平严肃地对周瑾说，“老是把高尚的感情庸俗化，讽刺打击。”

“没有没有。”周瑾笑着说，“说着玩呢。”

“你这么着特别妨碍我跟你掏心窝子。”

“千万别，我不啦。”

“爱听？”

“还行吧。”周瑾笑。

天暗下来，林荫上树影重重，他们走过一座小石桥，桥下的河沟接近干涸，茂盛的青草几乎覆没了小河，墨绿浮着白沫的河水稠成浆体，用心去听才能听到静止的水面下的汩汩流淌声。

“不是生下就这么多情，也就是这两年才开始追求。”

“那你生下来都干吗了？”

“玩来着……你是说多年前吧？刚走进人生？”

“刚懂事。”

“当时，刚懂事我就怀有特别强烈的想要改变迅速改变自己一穷二白面貌的愿望。”

“后来呢？”

“我爷爷死了。”

“什么意思？”

“留下一间房啊。”

“怎么啦？谁死不留房？留一间都是少的。”

“是地方啊，临街。”

“于是呢？”

“于是我就开了一个饭馆，专门经营特色饭菜。”

“你发财了？”

“我倒闭了。用了坏人，周围群众把我的特色饭菜称之为炒脚丫泥勾鼻涕芡鸡屎汆丸子黏痰打卤蛔虫面广为传播。我们屡次大酬宾提篮小卖送货上门仍毫无起色。”

“后来呢？”

“后来我觉得特别需要理解，于是便改物质追求为精神追求，放弃荣华富贵天涯海角不达目的誓不罢休。”

“你的一生真是充满追求的一生。”

“对对，你说得太对了。现在我已成了毛主席说的那三种人：一个高尚的人，一个脱离了低级趣味的人，一个有益于人民的人。听着特腻是吗？”

“听着特感动，真的真的，特为你难过，真是好人没好报。”

“同情我？”

“不是，就觉得特别不易。一个民愤极大的几乎丧尽天良的人尚且不忘追求，越是艰险越向前那是一种什么精神？”

“嘲笑我？拿我开心？我这人可脆弱。”

周瑾咯咯笑。

路灯忽然华光齐放，勾勒出一条街的轮廓，将他们沐浴在雾状的光明中。

有少年在黑暗处憋着嗓子喊：“嘿！街上不许手拉手。”

周瑾蓦地抽回自己的手，羞红了脸。

关山平也讪讪的。

周瑾回到家时，脸上仍自带着笑意。她轻轻用钥匙开了门，蹑手蹑脚走进来，到敞着门的卧室门口看了一眼。

我正倚在床上，开着台灯在看报纸，闻声抬头。

“回来了。”

“你还没睡？”她走进来，面带笑意。

“等你呢。”我把报纸翻了过来。继续浏览，“你不回来我哪敢睡？”

“你今天怎么没去？害得我等了半天，傻子似的一个人站在车站，人家都看我。”

“还说呢，刚出单位门就碰上一个人，缠着我没完没了地说话，走都走不开。”

“谁呀？”

“谁呀？赵蕾，你的好朋友。真拿自个不当外人，也不知又跟个什么人吹了，找我哭诉。当街一把鼻涕一把泪的，惹得人都看，好像我跟她怎么啦似的，什么事啊？我还得安慰她，烦透了。”

“人家信赖你。”周瑾笑着说，“她老跟我说，特喜欢你。”

“我用得着她喜欢吗？　她还是别喜欢我的好。我又不是大熊猫不被喜欢就不珍贵了。”

“你这话要让她听见伤心死了。”

“那就让她死吧，反正她不死在我这儿也得死在别人那儿。我也看出来了，她那颗心是迟早要伤，别人不伤，自己也得伤了。”

“你太损了，回头我就告她。”

“告吧，就说我说的，像她这样的趁早死了算啦！活着也怪没劲的，别人看着也着急。”

“我不，我告她你听了她的诉说回家就长吁短叹，打心眼儿里心疼她。”

“你饶了我吧。”

我俩一起笑。

“你后来去哪儿了没等着我？”

“哪儿也没去……也碰见一个人，就站在那儿聊了会儿天。”

“我后来去了，八点多钟，没看见你们。”

“后来我们就到一家冷饮店坐着聊去了，我们也不能老站街上。”周瑾笑，神态从容。

“谁呀？我认识吗？”

“你不认识，原来我们单位的一个同事，后来调走了。”

我看着她笑：“男的吧？”

“对，没错。”周瑾晃着头笑，看着我，“是男的。”

“我猜也是男的，要是女的哪至于聊那么长时间。”

“吃醋了？”

“我才不吃醋呢，”我笑着把报纸放下，从床上坐好，“谁像你呀？整个一个阎锡山的老乡。”

“哟哟，还说不酸呢，脸酸得都能蘸饺子了。”周瑾在我身边坐下，“我们什么都没干，就是一起聊天来着。”

“不要那么心虚嘛，谁也没说你们干吗了。”

“德性！”周瑾一甩手站起来，“越说你还越来劲了。”

“这就瞧我不顺眼了？”

“别没完啊，说两句得了。”周瑾摔帘子出卧室，出了门又回来问，“你吃饭了吗？”

“吃了。”我安详地说，“你呢？吃了吗？”

“没有。”

“聊了一晚上那男的也不请你吃顿饭？真不够意思。”

周瑾转身就走。

“我吃的也是面条，锅里还剩点卤，不够你再自己做点。”我在屋里大声说，随手又捡起报纸看起来。

周瑾在厨房把锅碗瓢盆弄得叮当响，一会儿，端着一碗堆得高高的面条进来，坐在我对面吸吸溜溜地吃。

我放下报纸看她一眼。

她边吃边白我一眼，用筷子把面条卷成厚厚一捆，往嘴里塞。

我举起报纸，嘿嘿一笑。

“你明天干吗？”她含着面条问。

“上班啊。”

“别装傻，我问你下班后呢？”

“魏大冬叫我去他那儿打麻将。”

“不带我去？”

“都是男的你去干吗？”

“都是男的怎么啦？我又不是不认识他们。”

“说好了不许带媳妇的。”

“你要不带我去，我就自己出去玩了。”周瑾吃完面条，把碗筷往桌上一搁，赌气说。

“刷了刷了。”我指着碗筷说。

“着什么急？明天刷不成？我就明天刷，你要看不下去你替我刷。”

“你明天上哪儿玩去？”

“这你就管不着了。”周瑾坐在梳妆凳上对着镜子卸发卡头绳，松开头发，“找‘情儿’去。”

“你够长本事的。”

“那谁叫你不带我去的？”

“我说咱们可约法三章：找‘情儿’可以，但不许花家里的钱给‘情儿’，往家里挣奖励……”

“你就坏吧！”周瑾倏地转身站起，举着拢子打我，骂道：“我明天还就偏跟你去，想不让我去都不成了。”

“那你去打牌，我找‘情儿’。”

乒乓球在桌上一来一去地飞速跳跃。

“吃转儿。”我一边削球一边念咒，“你接我这左旋，你这右旋——我可抽了！”

我侧身拉步一个大扣杀，球弹在对方的台边一个变线飞到地上。

围观的同事们哗的一声笑了。

“你真不是我对手。”我对站在球桌另一侧的关山平说，“赶紧下去吧，趁着比分比较接近。”

“你吹什么呀？快发球吧。”关山平把球扔过来笑着说。

“真不知死，那我可真不给你留面子了。”

“你要这么说，我也不让着你了。本来说帮你在群众中树立点威信你还不识趣。”

“一对臭球，就会吹。”球台旁的女同事们笑。

“开会了开会了，那边打球的把拍子放下吧。”单位头儿拿着一沓文件走进会议室，边走边冲我们这边嚷嚷。

我们放下球拍，一哄而散，乱哄哄地在一排排长椅间找座位。单位的同事们陆续进来，拿着书的夹着毛线的，三五成群，说说笑笑。

关山平夺一个女同事手里的书看，挨了一顿抢白。

“你怎么那么抠啊，看看怕什么？”关山平说。

“就不给你看。”女同事不高兴地说，“不愿意。”

“静一静静一静，咱们开会了。”瘦瘦的但有个肚子的头儿在大家对面铺着白布的桌后坐下，威严地说，“今天咱们学习几份文件，关于形势的，然后念几份通知，最后再讲讲咱们单位发生的一些问题——大家往前坐坐，别都挤在后面。”

头儿在上面一字一顿地念起文件，大家在底下叽叽喳喳开起小会。

我坐在两个女同事身边，趴俯在前边椅背上，低声和她们说笑。

“给挪个地儿给挪个地儿。”关山平屈膝弓腰拨拉着人腿，沿着这排椅子挤过来。

“去去，这儿没你的地儿。”我身边的姑娘说他，“怎么那么烦呀？”

关山平涎着脸笑，央告着，硬挤在我们之间坐下。

我闭眼假寐。

他捅我：“哎，我跟你说，昨儿那人没来。”

“看来你是真没福气。”我仍闭着眼养神。

“你说我怎么那么倒霉？约谁谁不来。”

我闭着眼，没吱声，接着，头枕着胳膊偏脸看他：“你确实没救了。”

“不过，我昨天倒自己认识了一个姑娘。”关山平得意地说。

“向毛主席保证，你这种自我安慰特没劲儿。”

“真的真的，不骗你。我在那儿等人，她也在那儿等人，我们都没等着，后来就搭上了。”

“肯定是猪八戒的近亲。”

“还可以，挺漂亮的，”关山平兴奋地说，“一点儿不蒙你，我跟她聊了半天，特有戏。”

“你怎么说的？”

“就按你教我的那套路数，云山雾罩，我发觉还真灵。”

“是你喜欢的那型吗？”

“是我喜欢的，但还不完全是我喜欢的那个。”

“这就行了，挺一般的人就别那么高的要求了。”

“你觉得我真没希望遇到一个十全十美的姑娘？”

“没希望，谁也没希望，就没有十全十美的人！挂历上美人漂亮吧？那是经过技术处理的，光给你看拿得出来的那部分。拿不出手的呢？谁知道她有没有暗疾？就算有个十全十美的完全吻合的，涮羊肉爱吃吧？老让你吃你也受不了也得烦。”

“你觉得我不该错过这机会？”

“坚决冲上去。”

周围人哗的一声笑了，不知头儿念了什么把他们逗乐了。我也抬起头跟着笑了一阵，又低下头跟关山平说话。

“你爱钱是吧？你爱钱和你有钱是两回事，还得钱爱你，两厢情愿。老实说，真有个十全十美的姑娘站在你面前，你也就是看看，解解眼馋。”

“是，这道理我懂。”

“是个好坯子就行了。乔装打扮嘛。”

“对对，多好的房子不装修一下内部住着也不舒坦。那我就不犹豫了。”

“千万别再犹豫了。你的问题不是找谁而是有没有人找你。”

“不过，这姑娘好像有主儿了。”

“咳！还管那些！”我抬起头看看四周，压低声音说，“还管那些？这事没顺序，谁积极谁主动谁就捷足先登。挤过公共汽车吧？拿出点那劲儿来，趁热打铁见缝下蛆。你不是觉得她有戏吗，那就是说她和那男的并不是牢不可破。人生能得几回搏？机不可失，时不再来。”

“具体步骤呢？”

“敌进你退，敌退你进，敌驻你扰，敌疲你打。”

前排坐着的一个女同事扑哧一笑，回过头横我一眼：“什么乱七八糟的？”

“这不是我说我的，《诱妞大全》上就这么写了。”我继续跟关山平说，“你还得机智灵活，英勇顽强，屡战屡败，屡败屡战。先胖不算胖，后胖压塌炕，笑到最后才是笑得最好看的。”

“你这都是原则。”关山平抱怨说，“我需要的是立即能奏效的，譬如开那把锁的那把钥匙。”

“没法再细了。”我说，“情场就是战场，战术通用，关键看你是不是用兵如神了。”

“昨天晚上在街上我可看见你了。”

银行营业大厅内，赵蕾和周瑾对桌坐着，一边书写、传递着各种票据，一边聊天，大厅内人群川流，人声嘈杂。

“在哪儿？”

“你别管在哪儿了，有没有吧？……和个男的。”

“没有。”周瑾笑着不承认。

“还不承认呢。”赵蕾笑盯着周瑾，“够快的，神不知鬼不觉。”

“你说什么呢？我一点也听不明白。”

“别装傻了。他怎么样？挺有意思是不是？”

“不懂，你肯定看错人了。”

“你说你瞒我干吗？我这眼睛可是照妖镜。”

“是吗，周瑾？”同桌的另一个女同事笑着问，“够风流的。”

“没有。”周瑾笑着辩解，“你听赵蕾瞎说。”

“我瞎说？”赵蕾笑吟吟的，“好，算我瞎说。”

“下一位。”周瑾把手伸到柜台上，接过一张存款条，看了一眼，脸立刻红了，手把存款条迅速握成一团。

她抬眼看柜台外，关山平微笑着站在外面。

“你怎么来了？”她红着脸说，“你到门口去，我马上出来。”

她回过头看，同事们都抿着嘴看着她笑。

“这回你还说什么？”赵蕾俯过身来低声笑道。

“别告诉我们那位。”周瑾央告说，“其实我们真没什么，就到一起聊聊。”

周瑾起身，从柜台出口出去，到门外找关山平。透过宽大玻璃窗可以看见关山平满脸堆笑，周瑾连连摇头。

桌上的电话铃响了，赵蕾懒懒地用两个手指夹起话筒，放在耳边，娇滴滴地拉长声音说：“喂——”

“麻烦您给找一下周瑾。”我在电话的另一端说。

“你是方言吧？”赵蕾蓦地坐直身子，把话筒贴紧耳朵，娇笑着说，“我是赵蕾。”

“周瑾不在？”

赵蕾看了眼门外仍在跟关山平说话的周瑾，说：“她走了，提前下班走了。”

“哦……”

“你有事吗？”

“没事。”我准备挂电话。

“不打算出来玩玩？”

“不打算。”我说，“回家睡觉。”

挂了电话，赵蕾慢慢将话筒放回机座，扭脸长时间地凝视窗外的周瑾。

银行大厅内响起下班的电铃声。柜台内的职员们立刻忙碌起来，飞快地结束手头的工作，站起来收拾桌面准备下班。柜台外的顾客们也结束了排队，纷纷散去。

赵蕾浓妆艳抹，穿戴整齐，挎着小包，高跟鞋橐橐地走出银行大门。

“还没完呢？”她冲那两人说，“都下班了。”

“是吗？”周瑾急慌慌地冲回银行大厅。

“你找了半天就找上她了？”赵蕾对关山平说，“人家可是有丈夫的。”

“我找她是别的事。”关山平说。

“你还能有什么事？”赵蕾嗤笑一下，娉婷而去。

周瑾挎着小包急急走出来，关山平迎上去。

“真的不行，我得回家。”周瑾说，“我爱人在家等我呢。”

“那改天，明天怎么样？”

“明天也不行，明天我们做账，得加班。”

“你是不愿意跟我出去？”

“不是，真的是没时间。”

“那算了，不求你了。”

“真对不起，你别生气。”

“我没生气。”关山平转身就走，走了几步又回过头说，“你要不去，那张票就让它作废，别再给别人。”

“不会的。”周瑾充满歉意地说。

关山平挥了挥手，头也不回地走了。

周瑾站在人群中看着窗外，手把扶杆身子随着车身的运动轻轻摇晃。窗外是一片片车流和人群。一对对情侣手拉手在便道的树荫下走，飞跑着过马路，忽然对视着笑起来……

她回到家里，各间居室内悄无人息。她脱了鞋，把包丢在沙发上，换了睡衣穿着拖鞋在屋里四处走动。

她在厨房里切肉切菜，五彩绚丽地堆满一只只盘子。锅里的水开了，咕咕冒着热气掀动着锅盖。

电动排风扇飞速地旋转，嗡嗡作响。

炒勺里的油热了，冒出股股青烟，蓦地火苗蹿起，油锅着了火，连忙将炒勺端下，关了炉火。

她拿着一袋挂面往滚开的锅里下，用筷子搅动迅速变软弯曲泛出白沫的雪白细长的面条。

那一盘盘搭配得十分悦目的肉菜原封未动，鲜灵的色泽黯淡下来。

她端着一碗面条坐到电视机前，边吃边看，电视机里正在播送新闻：会议、水灾和农田长势。

她吃着吃着，突然不动了，侧耳谛听，直到楼道内的脚步声过去，才继续吃。

夜里，我回到家里，见电视仍开着，节目已经播完，屏幕沙沙闪着雪花，她躺在沙发上睡着了。

我轻手轻脚过去关了电视，刚要走开，她一骨碌从沙发上坐起来，睡眼惺忪地问：

“几点了？”

“第二天了。”我说。

她噌地站起来，噔噔走进卧室，往床上一倒，拉过毛巾被盖在身上，扭身向里闭眼睡觉。

“生气了？”我讪笑着跟进卧室，说。

她不吭声。

我到卫生间又洗又涮，弄得浑身水淋淋的，拿了条毛巾回到卧室，边浑身上下擦着边笑说：

“不是去找‘情儿’吗？怎么没去？”

“你就等着瞧吧。”她瓮声瓮气地说。

“别这样，”我上床去扳她，“别不理人呀。”

“别碰我！”她使劲拧回身子，“我要睡觉了。”

我下了床，把毛巾扔到一边：“我是为了让你心理平衡才玩这么晚的。”

“你少来这套！”她翻身坐起气冲冲地嚷，“我怎么啦我怎么啦？不就是晚回来了一天，用得着你这么颠过来倒过去地说？你要这样我就天天晚回来。”

“我来哪套了？我又怎么啦？”我申辩，“我不也就晚回来一天。”

“你是晚回来一天吗？哪天你按点回来过？”

“那我也没干别的呀，就是和一帮朋友打打麻将还是赢多输少。”

“谁知道你干吗去了。”

“你说我干吗去了，你要这么说就没劲了。”

“我不知道你干吗去了，你干吗去了自己知道。”

“你怎么不讲理啊？行，我不说了，你说我干吗去了我就干吗去了，怎么着吧？”

“你现在是越来越狂了。”

“什么话！我狂？我哪有你狂啊？你多狂啊，说灭我就灭我，我一个挺大男人每天还得看你脸色。”

“你要是不愿跟我过了，烦我了，你可以走。”

“就会来这套，你们女的是不是都这德性？”

“没新鲜的，图新鲜你找别人去。”

“你要老这么没完，我可真烦你了。”

“烦就烦，烦就离婚。”周瑾用被蒙头倒下，“你威胁谁呀？谁怕你呀？”

“没错，现在世界上谁也不怕谁。要离就真离，别光说——你要有志气，别到时哭天抹泪地好像我是陈世美。”

周瑾真的哭了，蒙着毛巾被的身子一抽一抽。

我打开台灯，拿张报纸躺到床上看起来：“你哭什么呀？有本事别哭，刚才不是挺横的？”

周瑾的哭声更大了。

我不理她，点上一支烟，继续看报纸：“你小点声啊，人家邻居可都睡了。”

周瑾一骨碌爬起来，到卫生间又擦泪又揩鼻涕。片刻，眼睛红红的回来，照着镜子端详自己，不住地抽噎，恶狠狠地对我说：

“你别以为我不敢离，就觉得自己怪了不起了。”

“你什么不敢呀？中国人里数你有骨气了。”

我一个猛子从床上跳下来，一把没抓住周瑾，她冲出门，旋风般地消逝了。

“你回来！”我在楼梯口大声喊，转回屋换鞋穿衣服，咬牙切齿地骂：“这个该死的、二百五、没头脑、神经病——说跑就跑了。”

我一溜烟下了楼，在楼区花园四处寻找，每棵树后，每辆车里都找了个遍，杳无人迹。夜风很凉，吹得我汗一阵阵下去又一阵阵上来。我顺着马路来到大街。街口有一个瓜摊，看瓜的老头没睡，正坐在小椅子上摇扇乘凉。我问大爷看见一个穿睡衣的女的没有，大爷说沿着大马路走了。我沿着灯光通明空无一人的大街追了一程，到了一个十字路口仍没发现周瑾，便折了回来。

我回到楼前，见屋里亮着灯，便飞速冲了上来，进了屋摔上门就喊："有本事你别回来。"

屋里亮堂堂的毫无动静，我各屋看了看没有人，回到卧室躺下。我气坏了，躺半天倒也睡着了。

"周瑾！"我一声大喝。

正和赵蕾笑盈盈地从一家商店出门的周瑾吓了一跳，原地呆住。

我疾步走上去，牢牢攥住她的手腕，满脸堆笑，柔声说："跟我回家去。"

"我不！"周瑾一脸凛然，用手掰着我的手，"放开我，我不回家。"

赵蕾在一旁微笑地看。

"有话咱们回家去说。"我死死攥住她，低声下气地说，"回家怎么说不成？"

"我就不回家，不回去了，这不是正中你意嘛！"

我和周瑾在街上扭来扭去，引得一些行人观望。

"咱别在街上拉拉扯扯，让人笑话。"

"嗬，你还怕难看？我还以为你什么都不在乎呢。"

"别给脸不要脸啊。"我手暗暗加劲儿。

"你才不要脸呢，放开我！你干吗？"周瑾嚷。

"你干吗？"两个联防队员过来，指着我手，"放开放开。"

我手触电般地松开，周瑾拔腿就走，我忙一把拉住，对气势汹汹的联防队员们说：

“我们是两口子，两口子吵架。”

“你们是两口子吗？”联防队员问周瑾。

周瑾不吭声。

赵蕾忙说：“他们是两口子，我可以作证。”

“两口子吵架也别在街上吵啊。”

围观的群众笑，联防队员走开。

“你就跟他回去吧。”赵蕾劝周瑾，“别闹了。”

“我下午还得上班呢。”周瑾说。

“我帮你请假。”赵蕾笑着把我们俩往车站推。

我一进家门，把门一关，指着周瑾就嚷：“你什么东西？有这样的吗？差点让人把我当流氓逮了。”

周瑾不吭声，神态得意地往沙发上一坐，伸手去开电视。电视刚出现一个画面，就被我啪地关上。

“你还挺得意，你占什么便宜了？我要让人当流氓逮了，你就是流氓家属。”

周瑾不看我，给自己倒了杯水架起二郎腿悠闲地喝。

“给我倒杯水，我也渴了。”我命令道，在她身边坐下。见她没反应，就夺过她的杯子喝。

“你害怕了？”她望着我说。

我差点没让水呛着，咽下一口水说：“我害什么怕？你还以为……我是为你担心，大晚上一个人跑出去，你不知道白天街上都有坏人？”

“你不就盼着我被坏人捉了去，你好清静……再找。”

“别这样，你别这样，周瑾，我是那种人吗？”

“你是什么人？”

“你是真惹我生气，昨晚你气我一夜还不够？”

“你气？我还气呢。”

“我气上还加着担心，心都快碎了。”

“你得了吧，气你还能睡得着觉？”

“我睡了吗？那也是气着气着迷糊了，你昨晚回来了？”

周瑾抹泪：“你根本就不关心我，甭管我出什么事，你该睡照睡，亏你睡得着。”

“好啦好啦。”我和解地说，“咱们别闹了，老这么闹日子就没法过了。”

“你压根就不想好好过。”

“你这么说不愧吗？我还怎么好好过？我都快给你当孙子了。长这么大我跟谁服过软？跟你我连自尊心都不要了，你还要我怎么样？人总得讲理吧？昨晚我招你了吗？”

“对，你没招我，你总有理，我老胡搅蛮缠。”

“好好，算我无理，我不对，全是我的错。”

“什么叫算你无理？”

“好好，我真无理，真混蛋，不该惹你生气。”

“你要早这样，不就没事了？”

“我一直没敢别的样儿啊。”

“你瞧你，又不认错了。”

“好好好，不说了不说了。我一错到底一坏到底。”

“你现在就是坏，一点不哄我，看着我哭。其实好多时候我本来没事的，就是想闹点脾气，我不跟你闹跟谁闹？你哄哄我就好了——可你就是不哄！”

"闹吧闹吧，下回你有脾气就跟我闹，我当受气包……算我没说算我没说。我当受气包应该、光荣，别人想当还不行呢。"

周瑾先是瞪眼后是破涕而笑。

"闹什么呀？"我也笑，接着语重心长地说，"你说有什么可闹的？咱们是多好的一对，郎才女貌，旗鼓相当，我种田你织布，多少人羡慕？咱们自个儿真应该珍惜。"

"一点都不好。"周瑾断言。

"怎么不好？"我忙说，"你可千万不能这么说。我觉得很好了，好得不能再好了。我就是当皇上，也选你当粉头——六宫粉黛的头。"

"你少拐着弯骂人。"周瑾振振有词地说，"好什么呀？人家年轻夫妇天天出去玩，逛公园看演出下馆子。咱们呢？打结婚你就再也不带我下馆子了，连场电影也没看过。"

"我说你这个同志啊，怎么一脑袋资产阶级思想？讲吃讲穿那是咱小市民的本色吗？"

"本来嘛，讲吃讲穿怎么啦？人家还没老呢市民就不能享受了？"

"你见哪个小市民像你说的那样？不全是吃饱了混天黑闷蜜蓄窝子炕上整点俗人乐？"

"叫你说的那么恶心，就是有人嘛。那街上一对对的都是哪儿蹦出来的？"

"那不都是没结婚的？你跟他们比？"

周瑾盯着我半天没说话，脸一扭，叹气说："结婚真没劲。"

我打了个长长的哈欠，眼泪汪汪地解释："我困了，昨晚没睡好。"

"那你去睡好了。"周瑾冷冷地说。

“你还气吗？你要气我就不睡。”

“我不气了，你去睡吧。”周瑾不耐烦地说。

我把手搭在她手上，堆着满脸笑：“咱们一起睡。”

“行了，”周瑾抽出手说，“你就敞开去睡吧，免了这套。”

我睡了整整一下午，睡得死去活来，在梦里又是打仗又是逃跑，直到黄昏，才大汗淋漓疲惫不堪地起床，迷迷糊糊摇摇晃晃地出了卧室。

周瑾正笑眯眯地坐在昏暗的室内看电视。电视里播的是一部动画片：四只小老鼠排着队趾高气扬地从一只睡觉的小花猫身边走过，边走边齐声叫嚷：“老鼠怕猫，这是谣传。一只小猫，有啥可怕？壮起鼠胆，把它打翻。千古偏见，定要推翻。”

猫和鼠都稚气十足，憨态可掬。

“走吧。”我边穿衣服边对一动不动盯着电视看的周瑾说。

“去哪儿？”她回头看我一眼说。

“下馆子。”我套好汗衫说，“我也豁出去了。”

周瑾望着我，脸上露出微笑。

“乐啦？”

她不好意思地笑，噌地站起奔进卧室，手忙脚乱地梳妆打扮。

“咱别进太贵的馆子。”

“当然，我这点理智还是有的。”

我们选了一家中档餐馆大摇大摆走进去。尽管中档，但也是冷气软座什么的，在我看来就很好了。

“标准就是低档宴会的标准啊。”我翻看着菜单对周瑾说。

“你就点吧。”周瑾兴致勃勃。

我把服务员叫过来，点了几个猪肉做的菜。

“这几个菜够吃吗？”我点完菜，服务员不走，说，“我们这儿菜的量都小。”

“够吃。”我说，“我们是吃过饭来的。”

“再要个虾吧。”服务员指菜单说，“我们这儿虾不错。”

“你什么意思？”我在椅子上转过身，面对着服务员说，“嫌宰得不过瘾？”

服务员拿起菜单飞快地走了。

我对周瑾说：“我就说过，落到这帮人手里，没好儿。”

周瑾干笑：“她也是好意。”

“好意？”我瞟着冷荤柜前抱肘叉腰站着的一排服务员，“瞧她们那架势，一个个都跟杀手似的。”

周瑾笑，低头摆弄光秃秃的碗筷。

我们百无聊赖地等着菜，服务员穿梭不停地往各桌上菜，就是没我们的。我几次叫住给我们开票的服务员问，她都不耐烦地回答：“正炒呢。”

当她又一次如此回答时，我的耐心消逝了，怒吼起来：“怎么着？瞧不起人是不是？你还不耐烦了，我们都等多长时间了？”

“你吵什么？马上就给你上。”

“马上给我上？我还不吃了！”我一拍桌子，“退钱！”

满堂宾客受了一惊，纷纷掉头来看。一个领班模样的中年男人忙跑过来：“怎么啦怎么啦？”

“怎么拉？蹲着拉？”我指着那个服务员吼，“你问她，我们等多长时间了。你们这是什么饭馆？我要有低血糖还等不到你们上菜了——饭馆饿死人了！”我站起来大声喊。

“算啦算啦。”周瑾劝我。

“没你的事。”我冲她嚷，“谁也别拦着我，我把它牌子摘了。”

“怎么回事？”领班问服务员。

“我说马上给他上的……”

要不是周瑾拉着我，我手指能杵这服务员鼻子上：“我要不说你也不马上给我上。怎么着？我这钱不是人民币？比我晚到的都吃完了，你挤对谁呢？”

“马上上，马上给您上。”领班劝抚我，问服务员，“他都要的什么菜？”

“他说不吃了，要退钱。”

“对，不吃了，气都气饱了。”

“别吵了。”周瑾往回拉我。

“你别觉得丢面子，咱没什么不好意思的。来这儿吃饭就是让她们伺候的，咱花了钱不能买气生。”我对领班说，“我说你们这饭馆真该好好整顿整顿了，不像话，看人下菜碟，不就是没要你们的大虾吗？你要不扣她的奖金，我这服务费反正是不给了。”

“我们一定注意改进工作，您消消气，您要的菜马上给您上。”

领班赔了无数好话，把我劝回座位，招呼其他服务员迅速上菜。

“你看我干吗？不服是不是？”我不依不饶地冲那个服务员说，“想干不想干？不想干直说，我还不信治不了你。”

领班忙把那个服务员拉走，制止她的申辩。

菜很快上齐了，我们也没了胃口。

我冷笑着看着一桌菜对周瑾说：“这就是享受了？”

周瑾不吭声，低头一口一口吃菜，没吃几口放下筷子说：“咱们走吧。”

“全他妈糟践了。”我站起来看着一桌子几乎未动的饭菜，冲一边靠墙站着的服务员们喊，“你们家里人晚上可有的吃了。”

女服务员们不是低下头就是把脸扭向一边。

“啊，月光如水多么美丽令我陶醉，心儿颤抖我的心为什么颤抖，只因为有了你佛罗伦萨的丽茨费尔德……”

台上一个营养不良的中国人披着块麻袋片，斗篷底下露出一双肮脏落满尘土的人造革凉鞋，粗糙的大脚趾头上一层皮已经剥落——他捂着心窝在抒情。

“你觉得好吗？”坐在我旁边的一个小伙子突然转过头问我。

我愣愣地回答：“不是都说好……”

小伙子严肃地望着我说：“就是‘四人帮’回来，掐着我脖子问我，我也不能说好。”

小伙子说罢起身扬长而去。

我转过脸看周瑾，她看着我：“咱们也别受罪了。”

晚上，我向周瑾求欢，她顺从地任我摆弄。正当我兴致勃勃鼓捣个没完时，发现她正看着我笑。

“你笑什么？”

“你就别白费劲了。”她平淡地说。

“你感到失望？”

室内游泳池内，赵蕾和周瑾一圈一圈地游着，不时避开迎面或横向游来的人。她的腿在碧蓝清澈的水中显得十分白皙，分开、蜷起、有力地蹬出。她们都没戴游泳帽，头发黑油油湿淋淋地披散着。

她们先后改为仰泳，曲线毕露地破浪而行。

“不，谈不上失望，”周瑾说，“也无从失望。想通了，就是这么回事，结婚以后都一样，必然的一切都会平淡。”

“谁变了？”

“都变了又都没变，必然的，规律。大概也算不上坏事，平淡了才能持久。方言也算不上个坏丈夫，平心而论，也许比多数男子要好些。”

“你老实说，这就是你希望的——我是说你婚前想象的梦想的那种……生活？”

“不，”周瑾承认，“当然不一样。我也没那么说，我只是说我想通了。”

“不认为有那种生活存在了？”

“不认为。”

一个男人游过掀起浪打在赵蕾脸上，她停止划动，沉下去，又浮上来，紧游几下，又仰过来并肩和周瑾同游。

她瞟着周瑾，问：“后悔吗？”

“不。”周瑾在水中苦笑，“我想我也不可能碰到比方言更合适的人，我又不是公主。”

“万一呢？”

“什么万一？”

“万一这时突现出现一个……”

“不会的。”周瑾笑着打断赵蕾，“那也一样，当时我就觉得方言是我心目中的那个人。”

“现在还是吗？”

“应该还是，他还是他。”

“可你不觉得他是他就不是了。”

“咱们别谈这个了好吗？”

“干吗不谈？正谈得带劲儿。那种感觉来自何处？无非是你们相处时发生的一个个瞬间，意外的激动人心的令人欣喜的一个个瞬间。现在这种瞬间消逝了，不存在了，难得一见了。人有什么特别的？方言有什么特别的？凡人而已，就像无神论者眼里的神。”

她们触到了池边，踩水竖身转过去紧紧抓着池槽抹去脸上的水。

“有个人给你打过好几次电话就在昨天。”赵蕾颇有含意地笑着对周瑾说，“你不想见见他吗？”

周瑾摇头。

“就靠回忆过日子吗？”赵蕾也笑着摇头，“等你老了再这样不行吗？”

“可我们有过……时至今日，我觉得我的感情仍在他身边。”周瑾认真地说，水从她成绺的头发上滴落。

“别错过机会，我要是你我就抓住这次机会——这也许是你最后一次机会了。你没有什么丢失的，因为你已经一贫如洗。从前是这样，如今不是这样了。”赵蕾热切地说，“别逆潮流而动。”

舞厅里，赵蕾带着周瑾在人群中款款地跳，进进退退，原地踏着拍子。

“你踩我脚了。”

“我不太会跳。”周瑾抱歉地说。

“看来我是教不会你了，得换个人教。”

两个男人走过来，拉开她们，一个把赵蕾带走，一个接住周瑾继续带她跳。

“你为什么不愿见我？”

周瑾垂着眼帘，任人带领，不吭声。

“是讨厌我吗？”

周瑾抬起眼，盯着男的说：“我有丈夫了。”

“那又怎么样？”男的带着周瑾绕开一对飞快旋转而过的男女，那女的一脸痴迷地笑，“那又怎么样？你这等于花儿对雨说：我已经浇过水了。”

“这不好……”

“什么？你大点声。”

“我说这不行！”周瑾大声说，严肃的目光灼灼盯着对方。

“不不，你刚才说的不是这句，你再说一遍。”

“我没权利再跟你接触了。”

“你是说使你心有顾虑裹足不前的是因为你已经结了婚，道德习俗不允许？”

“不完全，但也有这个因素。”

“主要因素？”

“我不想回答。”

“你爱你丈夫？”

音乐骤然疯狂起来。舞厅内的灯暗下来，鳞板球和追光灯旋转起来，激光束从四面八方向人群射来。正在双双起舞的人们松开对方，痉挛般地扭起来。

“你爱你丈夫？”

“是的。”

“他爱你吗？”

“我想是的。”

“他对你说吗？”

“……”

“我可以对你说：我爱你！”关山平面部抽搐摇肩扭胯像只巨

大蝙蝠张开四肢大声嚷嚷。

“晚上你爸妈回来，在这儿吃的饭。”我闭着眼躺在床上，惬意地吹着电风扇，“你不在，两人就抓着我上课，嫌咱不会过日子，屋里乱。钱到手就花，不会在人民的银行存点。”

“你怎么说？”

“我怎么说？一味逢迎呗。”

周瑾上了床，躺在身边。接着，她的手伸了过来，人也凑了过来。

“别闹，天多热啊，拣个凉快天，等哪天下雨时。”

她手停了下来，搭在我脸上，我用手把她的手捂在我腮帮子上。这样躺了半天，我都快睡着了，她突然问：“你爱我吗？”

我睁开眼，她正凝视着我，我又闭上眼：“怎么想起问这个？”

“我想要你说。”

“多俗啊，咱都老夫老妻了，还弄这俗景干吗？”

“结婚后你就没说过。”

“那还用说？咱中国人实诚全在心里，就不会个花言巧语。”

周瑾不言声了，我翻个身朝里：“明儿星期天，魏大冬叫咱们去打牌，你也一起去吧。”

夜里下起大雨，早晨仍雨声如注。我在窗口看了眼外面的雨，走到床边催促仍躺在床上的周瑾：“起来吧，咱该走了。”

“下雨还去？”

“去，风雨无阻，下雨天打牌多过瘾啊。”

她坐起来，凝视着我，脸上没有一丝表情。

“怎么啦？”我说。

“我不去了。”她说，“我不想去了。”

“去玩玩嘛，何必闷在家里？”我过去拉她。

她抽回手，平静地说：“今天我们行卖债券，我得去加班。”

“你们银行怎么老加班？够没劲的——那我一个人去了？”

“去吧。”她说，“玩个痛快。”

我拍拍她脸蛋，笑着离屋而去。

雨中的公园，十分寂寥，亭台楼榭笼罩在烟雨中，坡上的树林枝叶飒飒，坡下的湖泊水声啁啾，蓝白二色的游船系于一湾。

一顶花伞从山间的甬路移来，伞下迈动着四条腿，两条穿着长裤，两条裙裾下露着光滑笔直的小腿。

“知道我为什么这么纠缠你吗？我从来不这样，合则留不合则去，无意勉强任何人，偏偏对你……”

“……你说过。”

“开始我没以为有什么特别。但回到家里，躺下一想，无数次否认，终于不得不承认：的确有什么发生了。”

“……”

“对我来说，现在一切都明白无误了，剩下的问题就是你，你怎么想？”

“不知道。”

伞停住。周瑾抬眼看关山平，垂下眼：“真的不知道。”

伞继续移动。

“我们都有这种担心，怕被某种错觉欺骗，那就让我们来看看是不是正确的感觉。”

“……”

“不讨厌我对吗？”

她低着头点头。

“愿意听我说话？”

她点头。

“想见我又怕见我？”

“是的。”

“想我吗——一个人没事时？”

“……”

“想过吗？”

“……想过。”

“是否有内疚感？”

“有。”

“甚至是罪恶感。”

“别说了。”

“我想我们不必再怀疑了吧？”

“那又怎么样呢？”

“什么怎么样？当然是跟着感觉走。”

“你想过后果吗？你有充分的思想准备吗？你有那份勇气吗——我不是指现在。”

“听着，周瑾，我们现在越来越像两个阴谋家了，在策划一桩有利可图的生意。你来到一个风景名胜，譬如说一座险峻秀丽的山，你难道是全面了解此山的构造路况水质气候是否危险有无野兽强人确保无虞才放胆而行吗？”

“我们不是游山而是临渊，我当然要了解你的水性，贸然下水，只会顷刻灭顶，那时也许只顾逃生了。”

“你的意思是要我作出某种承诺？”

“不，我不想要你做什么，谁又能保证得了自己？我确实有点……喜欢你，这点我不想对你隐瞒，但这是不是你说的那东西，我不知道。我愿意和你做好朋友是真的。愿意和你在一起，就像现在这样。至于别的更多，目前我不能答应你，老实说，我不愿意。”

“……”

“我打击了你对吗？你难过了？”

“我就料到会这样。”

“别对我期望太高要求太急迫，多给我一些时间，让我慢慢来，慢慢适应。这种事我真第一次碰到，一点底都没有。不瞒你，我现在心里真是乱得很，不知怎么办才好，容我多想想。我不愿意看你不高兴，不想失去你，但完全照你说的办……不！不！别这样……”

伞一下被风卷走了，他紧紧搂着她，堵着她的嘴吻她。周瑾拼命挣扎，两手用力往后推他。在一个长长的令人透不过气的吻后，她一把推开了他。

“别强迫我。”她瞪着眼睛冲他嚷。一阵密集的雨点斜飞而来，立刻打湿了她的头发衣裙。

她转身飞快地下山而去，迎着雨。

“创造一种诗意是对的，充满诗意关系……”我笑了一下，“那的确是人人向往的，但你盘带过多！”

我和关山平站在单位办公楼顶的平台上边抽烟边谈，楼顶风很大，一阵阵横扫而过，所以尽管烈日当空，我们并没有感到多少酷热。

“你开了一个无可挑剔的头，发展得也很顺畅，但你不能适可而止。你过分沉湎于诗意之中，过于重视所谓完美感受，当这种诗意和完美感受被夸张到极限，你的攻击便失去了弹性和向纵深发展的势头而陷于停滞。同时，过于浓郁的诗意势必导致纯洁意识的增强。就是说你为自己设置了屏障，把你的意图和关系的范围限制在了精神追求的小圈子里。这样，当你试图冲破她时便会引起她极大的震惊、失望和反感，继而是愤怒的拒绝和坚决的抵抗——是你把她抬到了超凡脱俗的境界与尘世欢乐绝了缘。”

“我懂了。”关山平沮丧地说，“我给自己铺了条通向天国的路，走在这种路上想上床当然是亵渎。你认为我现在还是希望过渡回来吗？”

“智取已经失败只有强攻了。”

“这，行吗？”

“实际上，这也是必不可少的一步。就算你没犯错，一切按预想出现最佳状况，最后你还得有这一下子。打比方吧，好比苏联十月革命，群众也发动了，士兵也争取了，临时政府也孤立了，最后还得打一下冬宫。正如毛主席所说，扫帚不到，灰尘不会自己跑掉。另外，她犹豫、畏缩，除了她本人的心理障碍，还因为有个旧秩序束缚着她拉扯着她，不烧了草料场林冲也不会上梁山。”

“明白。”

我们从楼顶下来时，在楼门口遇见盛妆而来的赵蕾。

“如此花枝招展，这是要会谁呀？”我笑着问。

“不是找你。”赵蕾笑着指关山平，“找他。”

三日后，我出差去了东北，在一个海滨城市参加一个大型订货会。会议开完，又接受一家供货单位邀请，绕道去长白山玩了一些日子。这样，加上往返路程，我回京已是一月之后。

我一下火车就发现北京已凉快了下来。尽管是晴天，但已没了前些日子那种令人难耐的溽暑闷热，街上刮过的风很凉爽。据说我刚走，北京就开始下雨，连绵不断，一连下了半个月，晚上睡觉都要盖棉被了。

周瑾没来车站接我。到家后，我发现她黑了也瘦了，人有些憔悴。我怀疑她这段时间生过病。她说没有，胃疼过几次但都很快好了。

她对我很好很温存，对我给她买的一些衣服也很满意，当场就一件件试穿，最后就穿着那件最偏爱的连衣裙不脱了。

她为我做了很多菜，多得吃不了，饭间我们还喝了酒，喝得十分兴奋，话特别多，坐在饭桌上你一言我一语地聊到很晚。

夜里，我们行了房事，一切得心应手，恰到好处。但我发觉她有轻微的抗拒，如果不属于厌恶的话——对我的一些习惯动作。很难说她的兴奋是假的但持续时间很短，事后她也不要求爱抚，而且很快穿上睡衣，似乎对在我面前暴露身体感到不自然。

我没有多想，旅途劳累，很快便睡了。

第二天我去上班，天气宜人且多日不见，同事们都显得很愉快，大声地和我打招呼，热情地拉住我聊天，特别是关山平。这个我特别注意了一下，他简直可以说是容光焕发。

一见我就把我拉到一边，小声诡秘地说："哥们儿成功了。"

"是吗？那你得请客。"我敷衍着离开他跟刚进门的头儿打招呼，"主任，我什么时候得跟您汇报一下工作。"

"不着急不着急，刚回来先休息两天。"头儿不太关心地呵呵笑着去跟姑娘们聊天。

"我什么时候得让你见见她。"关山平意犹未尽地又拉住我说，"你还没见过她呢，你给我估估，看够多少分，值不值。"

“就不一定非我估了，你看着值那就是金不换。”

“不不，你一定得看看，我信你，你眼光准。”

“那就找个日子吧。”我说，离开办公室去厕所。

我蹲在厕所茅坑上拉屎时，突然感到一种郁闷和莫名的烦躁，可能是因为厕所太脏，也可能是因为又回到烂熟的环境和人群中产生的不快，就像一个刚出狱的囚犯没跑几步又被抓了回去一样……或许，还有些别的什么。

“今天晚上我可能晚回来一会儿。”周瑾一边穿鞋，一边低头说。

“我回来后你几乎每天都晚回来。”

“四季度了，行里老加班。”

“不是和人约会吧？”我笑着走过去说。

“你怎么这么说话？”

“走吧走吧，”我笑着推她，“该迟到了。”

她不走，问我：“你希望我和别人约会？”

“我哪管得了你啊。”我还开玩笑，看到周瑾的脸色忙改口，“说着玩呢。”

我拔开一个硕大的香水瓶子的盖，按住钮瞄准几步外正坐在沙发上看书的周瑾劈脸喷过去。

“你干吗？”她吓了一跳，面有愠色。

“凉快凉快。”我说，又往自己身上喷了几下，“刚学的一招，喷香水消汗。”

我放下香水瓶继续看我的电视。电视里正在放一出连续剧，有外遇的妻子刚刚回家，不满丈夫严厉地询问她。她一言不发，神态冷淡坚毅，眼里流露出毫不掩饰的轻蔑，如同江姐面对中美合作所的刽子手，坐在四十多排的观众都能看得一清二楚。

我忍俊不禁，哧的笑了声：“是这样吗？”我扭头问周瑾。

“什么？”她警惕地抬起眼。

“这个。”我用下巴指指电视，“妻子偷情回来是这个姿态吗？”

周瑾掉头看电视。

“完全不对嘛。”我评论道，“这副嘴脸不等于把一切都供认了吗？”

“依你应该是什么样呢？”

“要么坚决否认，要么假装委屈，实在不行就以攻为守——你属于哪种？”我满脸堆笑地问。

“我是三者兼而有之。”

我笑，继续看电视，电视里丈夫挥手打了妻子一个耳光，“又不对了嘛。怎么能打？这一打岂不把她打成了受害者？应该把痛苦和悲愤深深埋在心底，加倍体贴，使对方永远不能平静心安理得。”

“如果我有外遇，”周瑾问我，“你是不是就打算如此？”

“我当然是要做得更好一些，送个信啊放个哨啊什么的，你也尽可以放心交给我去办。”

“无耻。”

“我只有一个请求，卑微的请求：千万别是胡同串子，那对我是双倍的侮辱。工资一定要超过三百，相貌一定要英俊，不能低于一米八，那样我会为你骄傲的。”

“你真像这书里写的那个无耻之徒，”周瑾举着书说，“活脱是你。”

“什么书？没准就是我写的。”我伸手夺书，周瑾闪开。

“如果我有外遇了，你是不是也能礼尚往来，保持一种令人钦佩的风度？”

“不！”周瑾坚定地说，“肯定打你个稀巴烂，闹你个人仰马翻。”

“那太遗憾了！俗话说：投之以桃，报之以李。”

“……”

“干吗这么看我？”我笑着看周瑾。

“我一直想问你一个问题，过去我总认为我是知道答案的，从没怀疑过，但现在我越来越觉得有必要听你再回答一次——你爱我吗？”

“这么说吧……”

“请你直截了当地回答。”

“这么说吧，比山高，比海深。”

“你就是不肯说那个字对吗？”

“如果你非要让我说我当然可以说，我一向认为这不是问题。”

“我不是非要你说，你可以不说。”

“说也无所谓。”

“行了，你别跟我啰嗦了！”她粗暴地打断我，撂下书，从沙发上一跃而起，端起放在茶几上已经凉的茶水喝，瞟着我。

“你不想问问我是否爱你吗？”

“对此，我从不怀疑。”

“从不怀疑？”她冷笑着，“干吗从不怀疑？应该怀疑。知道我现在对你什么感觉？”

“我一说话你就讨厌。”

“对！”周瑾往茶几上一蹾茶杯，尖叫，“你一张嘴我就恶心，浑身起鸡皮疙瘩……”

“可我说什么呀？”

“你少假装天真！”周瑾瞪着眼睛冲我嚷，“少装傻！我还不了解你？你精得都能安在缝纫机上扎线了。”

“我的确不太聪明，你用不着这么夸我。”

“你是没安好心！”

“我一点也不明白你说什么。”

“好吧，你要非装傻不明白，那我就告诉你。”周瑾瞪着我点头，在我对面坐下，“我的确跟别人好了，你怎么办吧！”

“祝贺你。”我微笑着去端她喝剩放在茶几上的水杯。

“这是真的！”周瑾叫，挥手把茶杯扫到地上。茶杯倾倒在地毯上，流出水洇湿了一块，“这是真的，我不开玩笑。”

我弯腰去拿茶杯，放回茶几，直起腰看着周瑾：“我不信。”

“你必须信！”周瑾去夺茶杯准备再次摔到地上。

我牢牢攥住茶杯：“这不可能，如果是真的，你会否认到最后一秒。而且你不会，你不是那种人，再说咱们关系也没到逼你走那条路的地步。”

我站起，拿起香水瓶往身上喷，分别抬起左右臂。

“你是想气我。”

我抬腿要走，一下被周瑾立起拉住，她哭了，哽咽难禁地流着泪，紧紧拽着我的胳膊：“我爱你。”

我回身扶住她：“干吗哭？怎么啦？”

她就势偎入我怀中，死死搂着我的腰，脸贴在我胸前哭得更厉害了：“我不想失去你。”

“怎么会呢？不会的。”我安慰她，“我们是牢不可破的一对。”

有一刹那，我的心软了。

“不，我不见你那个什么朋友……也不想见你。”

“为什么？出了什么事？”电话传来急促的声音。

“不为什么，我觉得该结束了，你以后也别再给我打电话了。”

“到底为什么？总得有个原因……”

周瑾不作回答，挂断电话，走回自己的办公座位。

坐在她旁边的赵蕾正埋头填写着一沓票据。

关山平推开我办公室的门，示意叫我出去。

“干吗？”我原地坐着没动，问。

“赵蕾来了，叫你过去。”

“她找我干吗？”我说，“你去告诉她我不在。”

“你就去一下吧，有事。”关山平走近说，“我已经说你在了。”

“这赵蕾怎么那么烦，老往这儿跑干吗呀？”我不情愿地站起来，随他出了门。

“你们处的人都哪去了？”关山平办公室里没其他人，只有赵蕾笑吟吟地坐在关山平的办公桌前。

“都出去了。”关山平说，拉出一把椅子坐下，他似乎情绪不高。

“我和关山平说好了，明天到我家去玩，他把他的那个小朋友也带上。”赵蕾看着说，“你也来吧。”

“我去干吗？”我也拉开一把椅子坐下，“你们玩我就别去了。”

“你不是一直说要见见他那个小朋友？关山平说找个餐厅，我说就别费那个事了，我那儿什么都现成，想吃什么都有，吃完饭咱们四个还能凑一桌麻将。”

“我现在不玩麻将了。”

“那玩别的也行，反正咱们四个人，打扑克、跳舞都够了。”赵蕾盯着我，“去吧，别扫大家的兴。”

“我明天还有别的事。”

“你有什么事？”赵蕾死死地盯着我，“别的事先放放。”

我避开她的目光：“改天不行吗？”

“改天我就不行了。”赵蕾冷冷地说，“就明天正好，好容易凑齐。”

“去吧，”关山平说，“一块乐乐，热闹热闹，我特希望你去，你会制造气氛。”

“明天要不去就去不成了。”赵蕾说，“你也说不定就见不着他那个小朋友了。”

“她和我闹别扭了。”关山平苦笑，“也不知我怎么啦，她突然不愿再见我了。”

“内疚了，”赵蕾冷笑说，“突然觉得对不起自个丈夫了，可能是她丈夫对她太好了，旧情复发了，你这黑高参快替他再出点主意。”

“明天几点？”我问。

“下午四点。”赵蕾说，“他们三点半到，你四点来，千万别早到，留出时间来先让人家好好叙叙。”

“那好，我四点到。”我起身离去。

“你要不到，我可上门去请。”赵蕾在我身后说。

“你说周瑾会来吗？”

“放心，我肯定给你找来就是了。”赵蕾对关山平说，“该干的事都干了，现在想往回缩也晚了——来了就看你的了。”

她看着我背影笑。

那天晚上我没回家，在魏大冬家打了一宿麻将，预报的一场大暴雨一夜始终没下来，空气又潮又闷，我们身上都汗津津黏糊糊，手摸牌直说腻，使劲吹电扇也无济于事。我的手气时好时坏，抽烟抽得嗓子冒火，咳嗽不断，一瓶接一瓶地喝啤酒。到早晨，人都绿了，头发蓬竖，双眼无神，人像捂着件大皮袄，恨不得揭层皮下去。

我给单位打了个电话。请一天假，骑车回家。

街上都是阴着脸骑车上班的人。路边树荫下一些昨夜露宿的赤膊汉子仍躺在席子上或钢丝床上酣睡。

我回到家，周瑾已经上班走了。室内一片凌乱，毛巾被皱巴巴散在床上，匆忙脱下的睡衣扔在外屋的沙发上。

她昨晚也是一夜未睡，频繁地到窗前、阳台上眺望，最后就站在阳台上看着大街通往楼区的主要路口，直到天亮。

我们结婚后，我还是头一次不打招呼就彻夜不归。

我想她一到单位就先给我们单位打了电话，得知我请了假，就又把电话打到了我们楼上一家有电话的邻居那里。

我刚躺下，楼上抱着孩子的少妇就敲门叫我去接电话。电话里周瑾的声音很平静，我告诉她我昨晚是在魏大冬那儿打麻将，她没说什么就放了电话。

周瑾听说关山平也去便立即拒绝了赵蕾的邀请。但赵蕾再三对她说，你就是不愿意再跟他来往了，也要当面去跟他讲清，否则他会老纠缠你，纠缠没完，甚至会出别的什么事，谁知道他急了会干什么？

“无论如何你也得见他一次，把一切了结一下。”

她的话终于使周瑾动摇了。

我一直睡到下午，在梦中仍不断咳嗽。我还梦见了下雨，倾盆大雨冲刷、浇湿了一切。

我醒来外面果然下着倾盆大雨，夹杂着电闪雷鸣。天黑得如同黄昏，阵阵凉风带着雨腥从敞开的窗户吹进来，靠窗的地上和家具已经打上雨点湿了一片。

楼上的少妇又来叫我接电话，电话是赵蕾打来的，她提醒我该出来了：

“别因为下雨就不想出窝了。”

密集的雨点打得我睁不开眼，尽管穿着雨衣，但里边的衣服还是湿了，小腿和脚更是如同水洗。

我顶着风雨骑车，速度很慢。马路上积聚着滔滔雨水，成排的树在风中剧烈摇摆，断枝残叶飘浮水中，几只湿透羽毛的麻雀坠落般地从雨中斜飞而过，落在路边的树上。

一个迅雷炸响滚过，阴霾的天空倏地划过一道耀眼明亮的闪电，天地蓦地亮了一下，顷刻间又昏暗下来。

阵阵凉风夹着雨腥从敞开的窗口吹进来，室内昏暗得如同夜晚。

周瑾一跨进屋内就对关山平郑重声明：“我今天只是来和你谈谈的。”

关山平把房门一关，插上插销，就上来拉扯周瑾。

“别，你别这样。”周瑾抵挡着，一一拨拉开他伸进来的手，“不，今天我不！”

关山平的手一次次被拨开，又一次次伸上来，如同千手观音从四面八方各种角度无休止地伸到周瑾身上。周瑾奋力反抗但身上的内外衣扣子仍被一个个解开，系上再次被解开，很快便衣不蔽体了。

周瑾几乎是与关山平厮打了。关山平把她推倒在床上，一手捉牢她的双腕，一腿压住她的下肢，另一只手从容地剥去她身上仅存的衣饰，迅速地把自己脱光，骑了上去……

周瑾的挣扎变为苦苦的哀求和诚挚的央告，这只使对方的动作更粗暴更急迫，最后，她闭上了嘴也闭上了眼……

“舒服了吗？”关山平笑嘻嘻地问。

周瑾一把将关山平推下床，一跃而起，擦干净自己，飞快地穿上衣服。

“你不是要跟我谈吗？谈吧。”

“没什么好说的了。”周瑾拉开插销要往外走。

关山平扑过来拉住她，把她往回拖。

“放开我！”周瑾用力掰关山平的手，拉开房门冲了出去，几乎就在同时，她呆住了。

我浑身湿透地从外屋的沙发上站起来，目不转睛地看着她，脸色惨白。

赵蕾坐在一边大腿压二腿低着头嗑瓜子。

雨过天晴，碧空如洗，天空出现一弯巨大的色泽动人的彩虹。

那年秋天没再下一场雨，日日晴朗，是我记忆里最宜人的秋天之一。街上十分美丽，树叶变得五色斑驳，晚菊在路边的花坛里成丛地怒放，到处挤满购物的人群，各个衣鲜发亮神态安适优哉游哉。

整个季节里我都住在父母家，上班下班吃饭睡觉，有时打打麻将，有时独自去看场电影。周瑾给我打过几次电话我都没接。上班时偶遇关山平，他几次想同我谈谈都被我拒绝了。

一天傍晚，我实在百无聊赖便去附近的一个湖，游今年头一场也许是最后一次泳。

傍晚天已经很凉了，偌大的湖面没有几个游泳者，只有几只游船在夕阳中徜徉。

我把衣服卷成团夹在自行车后座上，跳下水慢慢游起来。湖水很凉很有质感，每划动一下都感到沉甸甸既有分量又有弹性。

水波在我身后分开跳跃着向两边愈推愈远，形成了一个不断扩大延伸的人字。

夕阳几乎垂直于水平面，晚霞晕染了天际和湖畔的建筑、树木以及绸缎般抖动的水面。

我看到周瑾独自划着一只船从晚霞灿烂夺目的光晕中镶金沐彩驶过，桨儿一起一落，桨声欸乃。

我继续向前游去，与她交错而过。我游过一孔桥，游入另一处湖面。这儿更是寂寥，几无人踪，湖堤茂盛的荒草浸于水中，一排弯柳低拂湖面，成群的蚊子贴着水面嗡嗡飞行，我的腿不时碰到绵密柔长的丛生水草。

身后传来搅动水波的“呼啦”声，一只尖尖的船头紧贴着出现在我的头侧，船身一点点增大，然后无声地与我并行。

我们就这样同行了一段距离，不远不近，不前不后，没有对视也没有交谈，就像两个陌生人在同一条路上各走各的。

我突然感到很累，便停了下来。船也停了，接着偏向朝我划来。我伸手抓住船帮，水淋淋地翻身爬了上去。

周瑾坐在船上，平静地注视着我。她未加修饰但惊人的美丽，如同一粒珍珠在暮色里闪闪发亮。

“去哪儿？”她嘴唇不启地说。

“回家。”半天，我说。

家里一切依旧，那种熟悉的凌乱和随意就像我今早才离去，所有衣物用品都在老地方，使我感到一种松弛和舒适。

我们冲澡、更衣，一起做了顿便饭敞开胃口吃，冰箱里甚至还有一瓶冰啤酒我们分着喝了，那气氛真有些令人忘乎所以。我不再回避她的视线，还和她说些家常琐事，接着，我想我对她笑一下，这一笑使她的脸孔立刻扭曲了、歪斜了，似笑非笑，似哭非哭。

“你想折磨我吗？”她噙着泪说，“我不能装作什么也没有发生过。”

我叹口气，直视着她，双手把着桌沿把椅子往后挪开，起身离去。

她一把拉住我的手：“你别走。”

我看了一眼她，又低头看了眼她抓着我的手。

她把手松开，缩回：“你别走……”

“我去拿烟。”我说，走进卧室。

我从卧室拿着半包烟出来，点上一支抽着问：“你想对我解释吗？”

她摇摇头，坐到沙发上把腿收上去抱着，怕冷似的缩成一团，请求说：“给我一支烟。”

我递一支烟给她，又把打火机递给她。

她按了几下没打着火，我要过打火机，帮她点上烟。

她抽了一口，甩甩头发喷出烟雾，镇静地说：“你是不会原谅我了，对吗？”

“你希望我原谅你吗？”

她黯然神伤地低下头：“我知道你不会原谅我的。”

我沉默地吸烟，抽完一支又点上一支。

“事到如今也没什么好说的了！你说，怎么办吧？”

“什么怎么办？”

“怎么惩罚我？”

“……”

“离婚？”

“……你同意吗？”

她的眼中立刻充满泪水，伤心地说：“我还能说什么？你早下决心了。”

“你觉得这日子还能过吗？”

她不言声，只是一滴滴掉泪，手里的烟灰一截截掉在地毯上。

“你不想离？”

“要是我保证改呢？”她掉着泪说，“再也不了。”

“你想保证咱们都把这事彻底忘了吗？就当从来没发生过？”

“我不想离。”她揩揩眼泪，鼻子堵塞地说，“我不离。”

“你不离？不想离？那你为什么？”

“我错了。人都有一时糊涂的时候。”

“你这属于一时糊涂吗？”

“嗯。”她自我肯定地点点头。

“你少狡辩。”我被气笑了，随即恼怒起来，“那你为什么？我告诉你周瑾，别以为我对你狠不起来。过去我对你是狠不起来，但这次……”

“你对我要狠了。”她仰起脸轻轻地说，“你对我要狠了吗？”

“你为什么？”我避开她的目光，掉过脸说，“为什么要干这种事？你不知道这会毁了这个家吗？”

“……”

“是我不能满足你吗？”

“有时候……有时候我是这么觉得的。”

我不想假装无动于衷，这句话的确刺痛了我，使我一下眼中涌满了泪，我感受到了莫大的伤害甚至超过事情本身对我的伤害。

“对不起……”

“别碰我！”我厉声喝道，“别碰我！”

我起身走开，无力地站到窗前一言不发地继续流泪。

“你就那么讨厌我？”她哀怨地说，跟了过来，再次把手搭在我身上。

“是的！”我无情地将她推开，愤怒得透不过气来，无法找到能准确表示我的感受的词汇，“……你少腐蚀干部。”

次晨，天上出现鱼肚白，她对我说她同意离婚。

屋里烟雾腾腾，就像有一屋子干部开了一夜会。我的感觉已趋于麻木，听了她这句话，我既不感到兴奋也不感到轻松，倒是有种辛酸。

“我不想这事大肆张扬，”她说，“不需要调解也不需要诉讼，咱们俩协议悄悄离了就行了。”

我点点头：“我也不会把你的事说出去的。”

“那咱们离婚原因说什么呢？”她以一种可爱的认真态度问，“人家肯定要问的。”

我说“感情不和”。她坚决反对，说“这不是事实”。我又说“性格不合”，她也不同意，非要找出一个涉及我们双方关系的第三个原因。我费了很大劲说服她这是不可能的，既然是两人离婚那必须是出于二人的原因，天塌地陷都与此无关。她说那她宁肯承认是她一方不忠。我表示坚决反对，“这不是为了我面子，我不允许你的名誉和人格受到他人任何哪怕最微小的中伤和诽谤——我们俩的事就是我们俩的事。”

最后，我们同意用“感情不和”作为我们离婚的理由。

接下来，我们就财产问题心平气和地进行讨论。

“房子家具都给你。”她说，“你还得再结婚，再找人。”

“那你呢？”我问，“你们打算结婚吗？”

“不知道。”她说，“我不想再结婚了。”

“总得再结个婚，不管和谁，日子还得再过下去。”

“不考虑那么多。”她眼中闪着泪说。

“房子家具还是留给你吧，我拿一部分存款就行了。关山平也是个没本事的，你一个女人就更没办法了——我怎么都好说。”

“你就是留给我，我也得把这些东西全卖了。”

我们不约而同地看了眼室内的一切，家具陈设静静地待在各自的位置，就像一群无言温顺的奴隶。

“你打我一顿得了。”

“我打你干吗？”我冷冷地说，“我不是跟你算账来的，我是想问问你今后打算怎么办？”

“我可以保证今后不再和她见面。”

“你得对她负责，我们已经开始办理离婚了。”

“可是，她不愿见我。”

“她不是现在才不愿意见你的吧？拦住你了吗？”

“……”

“她对你还是存在感情的，这是她亲口对我说的。继续显示你的魅力和力气吧，现在更容易了，她不需要再对谁内疚了，你们可以公开相爱了。”

“……”

“你不是仅仅想玩弄她吧？”

“不，不，绝不是……绝不是。”

“多少、起码……还是有点感情的？”

“是……”

“你一定也清楚，正是基于这点我才如此行事。是妻子与人相爱还是妻子被人诱奸——姑且不称之为强奸吧——这二者的性质完全不同，我的反应也绝不一样。如果是后者……也许不至于杀人吧，但我想我肯定是不计后果地干些什么——不是鱼死就是网破！我的生活本来也没多少可留恋的。”

“我发誓，我——起码我是出于爱……”

“那再好也没有了。老实说，我一直怀疑，这种怀疑也要一直延续到我看到证明你们确实有爱情的事实才能结束。”

“你说她真的对我也有同样的……她一直都是对我说……所以……”

“就是在昨天晚上，她亲口对我承认的，说：‘想来想去，恐怕是真的有点爱他。’我过去的存在一直妨碍她表达她的真情实感，这你还不明白吗？”

“我明天就去找她。”

岁末，西伯利亚的第一场寒流袭来时，漫长折磨人的离婚程序终于一步步完成了，结束了。房子和主要家具留给了周瑾，我只拿走了一部分现款。周瑾坚持按家具等分价值折款付给我，她说亲兄弟明算账何况已宿鸟分飞，她不想欠一个路人的情。我想我也确实需要钱就没多争就接受了。

当我们从街道办事处——我们曾经登记结婚的那间屋——办完最后的离婚手续，各执一张离婚证出来时，她说请我吃顿饭。

“我们结婚后就没一起下过馆子，唯一一次还闹得不欢而散，以后也没机会了。”

我点点头，答应了。

我们在路边随便找了个好一点的餐厅进去。

不是吃饭时间，餐厅里人很少同时又很冷，寒流提前到来，尚未到法定室内取暖时间，餐厅的暖器摸上去都是冰凉的。

我们捂着羽绒衣，蜷缩着坐在桌子的两边，瑟瑟抖抖地从袖子里伸出筷子夹菜，喝着冰凉碜牙的啤酒。

热腾腾的炒菜送上桌没多一会儿油就表面凝结成冻儿。

我注意到周瑾一直泪涔涔的眼睛此刻一点泪水也没有，完全干涸。她显得又老又憔悴，头发也没很好梳理，两鬓散乱，人干瘪了一圈，鼻子愈发的尖，眼睛愈发的大。

她发现我正在看她，抬眼冲我一笑，眼角立刻出现细密不易察觉的皱纹。

她笑着说：“今后再见我就该装作不认识了吧？”

“怎么装得出来？”我也笑着说，“不会。”

“还会再见吗？”

“谁知道，也许，都在一个城市里，没准哪天就遇到了。”

“是啊，我去找关山平也许就能碰到你。真逗，我过去去找你怎么就没遇到过他？”

“他刚调来不久。”

“我过去怎么就没想到他们兰达公司和你们设备局是一个单位。”

“我们经销部门对外商叫兰达公司，其实是一回事。”

“要是想到了不就没这事了？”她笑着望着我。

“那就会出现另一个陈山平，邓山平。”

“你真认为我就这么坏？这种事不可避免？”

“很多人遇到机会改变了自己的生活，很多人没遇到机会生什么样儿死什么样儿一辈子没变化。其实人都是一样的，无所谓好坏，有无机会而已。”

“如果你遇到机会呢？”

我笑笑，没说话。

分手时，我们站在餐馆门口，都戴上兜帽扣严护脖。“说出来也许你不信，但我还是想告诉你。”周瑾的嘴藏在羽绒衣领后，露出眼睛和上半部脸，说，“我一直爱你，包括那些时刻，直到现在。”

我没说话。

她的眼睛湿润了，瓮声瓮气地说：“别光想着我对不起你的事，也想想我对你好的地方。”

她转身就走。

“等等。”我叫她，“有句话你问过我好几次我都没有回答，现在我可以告诉你……我也——爱过你。”

我掉头匆匆而走，迎面吹来凛冽的风夹着细小坚硬的雪粒。

直到我消逝，她仍一动不动地伫立在寒风中。

“我们准备年内就举行婚礼，周瑾让我告诉你。”关山平没精打采地说。他样子郁闷、冷漠。

我正在把办公桌各个抽屉里的私人物品分别挑出来，一一放进我的手提包。

“还没结婚就后悔了？”我看他一眼问。

“没有。”他否认。

我笑了一下，整理一空的办公桌抽屉全部关好，最后扫视了一下桌面，见无遗漏，便拉起手提包拉锁，拎起胀鼓鼓的手提包往外走。

“给你一句忠告吧，千万别大意，别急于剥去伪装，就这样带着壳过一辈子，宁肯让她觉得你虚伪也别暴露真面目。没人喜欢毫不掩饰的东西——要是你想一团和气安安稳稳太太平平的话。”

“你这是去哪儿？”他纳闷地问。

“我辞职了，不干了，颠儿了。”我一身轻松地说，“下半辈子光为自个活了。”

我禁不住地露出微笑，脚步轻快地穿过走廊，然后停下对呆在那里的关山平说：

“记住，咱们就当这辈子没见过面，谁也不认识谁，再见着我也别跟我打招呼，打招呼我也不理你们。”

“他们打算结婚了？”

我上了公共汽车，哼着小曲挤进人群中站定，待车开动后，才发现赵蕾紧挨着站在我对面。

“他们打算结婚了？”她再次问。

“是的。”我眨眨眼，“年内就举行婚礼。”

“那你没理由不再见我了？”

“我正要去找你。”

“算了吧，我不找你，你永远不会过来找，我还不了解你？咱们呢？”

“什么咱们？”

“别装傻，他们准备结婚了，咱们呢？”

“咱们也结，和他们同时。”我笑嘻嘻地说。

赵蕾死死地盯着我，半天，警告我说：“你可千万别跟我耍花招儿，千万别！我可不是周瑾，让你当傻瓜捉弄，被人卖了都不知道到哪儿使钱去。”

“怎么会呢？我吃饱了撑的为耍花招儿而耍花招儿？难道这一切不都是为了和你——我的意中人结合才干的吗？”我亲热地搂住赵蕾的肩膀。

她轻轻挣开我，不太有把握地问：“我真的是你的意中人吗？”

“这你还看不出来？”

“似乎挺像，可我不能十分肯定，你这人太会演戏了。”

“的确是心口如一，若有半个假字，天打五雷轰。”我赌咒发誓。

“你这一套骗得了周瑾骗不了我。”赵蕾说，“不管怎么说，不管你是不是真拿我当意中人，反正我是看上你了，由此也就缠上你了，不管今后会发生什么，你是休想甩掉我。恩断情绝也好，另有新欢也好，你有千条计我反正一条道走到黑，坚决不跟你离婚，耗也耗你一辈子。”

“不要说得那么可怕嘛，咱们在一起那将是享不尽的恩爱，过不完的幸福……”

“我才不信你呢。”赵蕾凄恻一笑，“你会变我也会变，早晚有一天我们会变得互相讨厌，告诉你，在这点上我跟周瑾不同，我不抱幻想，所以也不受迷惑。我只认准一条，那就是今生今世牢牢抓住你——今天起，你就住到我那去。”

“我也正这么想。”

“别跟我甜言蜜语，你说什么我都不信，只看你是怎么做的——你现在就回你父母家收拾东西，一会儿我叫辆车去接你——咱们先在你父母那儿把关系挑明了，我当暗娼也当够了。”

“你现在去哪儿？”

“你以为我跟你合伙干了这件缺德事在单位还能做人？周瑾恨死了我，全行上下所有的人都拿白眼瞧我——我去联系调动工作。”

“那我在这站下车了？”

“去吧，记住，我一小时后准时去找你。”

我挤出人群，下了车，朝车上的赵蕾招招手，转身向另一个车站走去。

待载有赵蕾的那辆公共汽车在街角拐弯消逝后，我又慢慢踱回那汽车站，挤上一辆刚进站的公共汽车继续按原路线前行。

我在火车站广场下了公共汽车，径直来到车站售票的窗口，求人代买了一张站台票，通过闸口进了候车大厅，我站在长长的自动扶梯上缓缓升上二楼大厅，下了扶梯，在我遇到的第一个检票口检了票，随着人流下了站台。

我随着人流来到站台，一股股铁轨上停着一列列油绿色的火车。我从一个乘务员疏于把守的车厢入口混上车，找了一个座位坐下。

列车开动了，渐渐驶离繁华庞杂的城市，旷野的风从窗口猛烈地吹进来。

我站起来，提着包挤过一节节挤满旅客的车厢，来到车长办公席，掏出钱说：“补票。”

“到哪儿？”年轻的女车长抬头问。

“终点。”我说，“你们这趟车的终点是哪儿？”

一年后的某个秋日傍晚，周瑾抱着新出生的女婴逗她玩，屋里充满母亲的笑声和孩子的牙牙学语，关山平在一边微笑地看着她们。

“你瞧你瞧，她笑了她笑了——你快来看呀。”周瑾向关山平笑叫。

关山平笑着走过来，拨弄着孩子娇嫩的脸蛋。

“笑得多好。”周瑾幸福地说，“不是我偏心，咱们的孩子真是比别人的孩子都好看。”

“没错。”关山平笑着把眼睛转向周瑾，注视她说，“你呢？”

“什么？”

“你觉得好吗？”关山平用眼睛扫了一下四周，把室内的一切人、物、情调全都包括了进来。

周瑾明白了他的意思，微笑起来，然后由衷地点点头，用力点了点。她显得丰满、漂亮、容光焕发。

“你说世界上的事情有多么巧。”周瑾抱着孩子上下摇晃着，偏过头，对关山平说，“如果那天我没碰巧和赵蕾一起出来吃饭还走了那么远去那家饭馆，如果那天傍晚咱们没碰巧正好在同一个车站等人又都没等到，那我们也不会认识，也就不会有这个孩子。”

“你认为这些都是巧合吗？”

“是巧合，也是缘分。”周瑾笑着说，“有缘千里来相会。”

“你从没想过这可能是精心策划的人为的安排？”关山平笑眯眯地问。

“我怎么没想到？”周瑾摇着孩子笑着说，“我早知道赵蕾对方言有意，她特别嫉妒我。表面上和我是好朋友，暗地里恨不得把我们拆散。这人太阴，也怪我太傻，让她得逞了。其实她就是把我拆了，方言也不会找她。方言说过：‘最烦她。’”

“你是太傻，也不能说傻。山里的孩子心儿善，你净把人往好处想了，你知道那天是谁把我约到那个公共汽车站等人的吗？”

“不知道，谁呀？”周瑾转脸逗孩子，“再笑一个。”

“你当时的丈夫，方言。”

周瑾的动作蓦地停住，困惑地转过脸。

“他把你约到车站，又把我约到车站说给我介绍个姑娘，其实他打算介绍给我的正是你。”

“可要是咱俩不搭话呢？等不着人就走了呢？”

“那他还会再找机会，再制造机会，直到咱俩认识，他是用了心的。”

“他为什么？”

“你说他为什么？”

周瑾脸色苍白，抱着孩子一动不动。

“他想摆脱你，又不想被你察觉，所以才费尽心机，这大概也算是一种体贴吧。”

“他想和赵蕾结婚！他对我说的一切都是假的，演出来的。”

“说他说的一切都是假的、演出来的没错，但他不想和赵蕾结婚，据我所知，赵蕾至今还是独身一人。方言从单位辞职的那天起就失踪了，不知去向。赵蕾疯了似的在全城找了他很多天，直到现在还不断地找不断地打听，她发誓要把他找着，但音信全无——她也被他涮了，被他利用了。有一次我在街上碰见她，她老得我都快认不出来了。”

“他想干吗这个方言？”

“往好处说，大概和我都是一样，幻想某种奇遇，生活一下完美无缺了。”

“可能吗？你说他能得到吗？”

“这世界到处都一样，他无处可去。我相信他只不过是换了个环境和一些人，但肯定还过着和这儿同样的生活。”

“你说有吗？那种完美无缺、理想的、人所期冀的……”

“我说不上，一般地幸福感受我想是有的，譬如我们……现在……”

关山平微笑着向周瑾伸开双臂，将她母女二人一起搂入怀中。

周瑾依偎在关山平怀里，侧脸看着孩子，眼泪扑扑簌簌往下掉：

“他们想害咱们，没想到却成全了咱们。”

动物凶猛

我羡慕那些来自乡村的孩子，他们的记忆里总有一个回味无穷的故乡，尽管这故乡其实可能是个贫困凋敝毫无诗意的僻壤，但只要他们乐意，便可以尽情地遐想自己丢失殆尽的某些东西仍可靠地寄存在那个一无所知的故乡，从而自我原宥和自我慰藉。

我很小便离开出生地，来到这个大城市，从此再也没有离开过，我把这个城市认做故乡。这个城市一切都是在迅速变化着——房屋、街道以及人们的穿着和话题，时至今日，它已完全改观，成为一个崭新、按我们的标准挺时髦的城市。

没有遗迹，一切都被剥夺得干干净净。

在我三十岁后，我过上了倾心已久的体面生活。我的努力得到了报答。我在人前塑造了一个清楚的形象，这形象连我自己都为之着迷和惊叹，不论人们喜爱还是憎恶都正中我的下怀。如果说开初还多少是个自然的形象，那么在最终确立它的过程中我受到了多种复杂心态的左右。我可以无视憎恶者的发作并更加执拗同时暗自称快，但我无法辜负喜好者的期望和嘉勉，如同水变成啤酒最后又变成醋。

我想我应该老实一点。

她的容颜改变得如此彻底，我看到她时完全无动于衷。那天我去火车站送一位至亲，在软席候车室等候进站时，视线恰与她的目光相遇。她坐在斜对面的一排沙发上，目光随着一个正在地上跑来跑去独自玩的小女孩移动，小女孩跑到我脚前的皮箱边，于是我们相逢。

她手托腮五指并拢几乎遮住了口、鼻，两颊瘦削如同橄榄，一双眼睛周围垂褶累累，那种白色的犹如纸花的褶皱。

纯粹是由于视野内景物单调，那个活动着的小女孩产生了难以抗拒的牵引力，我的目光再次投到她脸上，我发现她刚才注视我的那一眼仍在持续。

那是探究的凝视。

小女孩跑到她身边，娇声娇气地说话，她的回答低得几乎听不清，由于拿腔捏调模仿孩子式的语调而嗓音失真。她把遮住脸的手放下，我移开视线，确认这是个陌生人。

这时，我一直留心注意的候车室门上的电子预告牌打出了我们等候的那次列车的检票通知。

我站起来，拎着箱子陪同那位至亲走出候车室。

在上行的自动扶梯的人群中，我忽然想起她似乎是谁。我不动声色继续前行，把我那位至亲一直送到车上，在月台上深情地看着站在车窗内朝我微笑的栩栩如生的她，直到火车开走。

我在通往站外的地道中边走边对自己的判断产生怀疑。

当我犹豫不决地再次出现在软席候车室的门口时，她和那个小女孩都已不在了，她的位置上坐着一个神色怆然的女军官。

十三天后，我去参加一个中学同学的聚会，当一个个陌生男女走进那个房间，笑容满面地彼此握手，特别是听到其中有一个人叫出我的名字，我有一种脱离现实的感受。我和几个男人聊得很多，我知道他们是我过去的好朋友。有人提起一些往事，很有把握地描绘我当时的神情、举止和爱好，而我对此毫无印象。我对自己能清晰地保留在一些人的记忆中感慨不已。主持聚会的一个同学高声对大家说："让我们重新认识一下吧。"

随着一个个名字的道出，蒙尘的岁月开始渐渐露出原有的光泽和生动的轮廓，那些陌生的脸重又变得熟悉和亲切。很多人其实毫无改变，只不过我们被一个个远远地隔离开了，彼此望尘莫及，当我们又聚在一起，旧日的情景便毫无困难地再现了。

那个苍老、憔悴的女人当年有一张狐狸一般娇媚的脸，这张脸不会使人坠入情网却颇能挑逗起一个成年男人的非分之想。我只是到后来，多年后才开始欣赏此类相貌的女子。当时她对我毫无吸引力，我长期迷恋那种月亮形的明朗、光洁的少女。

我之所以对她印象深刻，因为那时候她总是和米兰在一起。

七十年代中期，这个城市还没有那么多的汽车和豪华饭店、商场，也没有那么多的人。除了几条规模不大的商业街，多数大街只有零星几间食品店和百货铺子，不到年节，货架上的商品也很单调，大多是凭票供应的基本生活用品。街上常见的是四轮驱动的军用吉普车和一些老式苏联、波兰轿车。

上班上学时间，街上只有一些外地来出差的干部在闲逛，连公共汽车、无轨电车都乘客寥寥。热闹的场面只在特殊的庆祝的日子能看到，游行的群众队伍把大街小巷挤得水泄不通。

城里没什么年轻人，他们都到农村和军队里去了。

那时我十五岁，在一所离家很远的中学读初三，每天从东城到西城穿过整个市区乘公共汽车上学。这是我父母为了使我免受原来的一些坏朋友的影响所采取的极端措施。我原来就读的那所中学过去是所女中，自从开始接受男生入校后便陷入混乱，校纪废弛。为了不受欺侮，男孩子很自然地形成一个个人数不等的团伙。每日放学,各个团伙便在胡同里集体斗殴,使用砖头和钢丝锁,有时也用刀子，直到其中一人被打得头破血流便一哄而散，这场面使得所有正派的学生父母心惊肉跳。

我感激我所处的那个年代，在那个年代学生获得了空前的解放，不必学习那些后来注定要忘掉的无用的知识。我很同情现在的学生，他们即便认识到他们是在浪费青春也无计可施。我至今坚持认为人们之所以强迫年轻人读书并以光明的前途诱惑他们，仅仅是为了不让他们到街头闹事。

那时我只是为了不过分丢脸才上上课。我一点不担心自己的前程，这前程已经决定：中学毕业后我将入伍，在军队中当一名四个兜的排级军官，这就是我的全部梦想。我一点不想最终晋升到一个高级职务上，因为在当时的我看来，那些占据高级职务的老人们是会永生的。

一切都无须争取，我只要等待，十八岁时自然会轮到我。

唯一可称得上是幻想的，便是中苏开战。我热切地盼望卷入一场世界大战，我毫不怀疑人民解放军的铁拳会把苏美两国的战争机器砸得粉碎，而我将会出落为一名举世瞩目的战争英雄。

我仅对世界人民的解放负有不可推卸的责任。

所以父母把我和我的战友们隔离开来，从那充满活力的学校转到一所死气沉沉的学校——这所新学校是当时全市硕果仅存的几所尚能维持教学秩序的学校之一——我会感到多么无聊也就可想而知了。

我在新学校中很长时间没找到同志，后来虽然交了几个朋友，但我发现他们处于老师的影响之下。我是惯于群威群胆的，没有盟邦，我也惧于单枪匹马地冒天下之大不韪向老师挑衅。这就如同老鼠被迫和自己的天敌——猫妥协，接受并服从猫的权威，尽管都是些名种猫，老鼠的苦闷不言而喻。

我觉得我后来的低级趣味之所以一发不可收拾，和当时的情势所迫大有联系。

我那时主要从公共汽车上人们的互相辱骂和争吵中寻找乐趣，很多精致的下流都是那时期领悟的。

当人被迫陷入和自己的志趣相冲突的庸碌无为的生活中，作为一种姿态或是一种象征，必然会借助于一种恶习，因为与之相比恹恹生病更显得消极。

我迷恋上了钥匙，从家里、街上和别的同学那里收集到了一大批各式各样的钥匙,并用坚韧的钢丝钳成了所谓的“万能钥匙”。先是合法地把自己家的各种锁一一打开，为那些钥匙锁在家里的朋友们扶危济困，后来就开始未经邀请地去开别人家锁着的门。

我喜欢用一把平平常常的钥匙经过潜心揣摩、不断测试终于打开那种机关复杂的锁。锁舌跳开“嗒”的一声，那一瞬间带给我无限欢欣，这感觉喜爱钓鱼的人很熟悉，参加过第二次世界大战攻克柏林战役的苏军老战士也很熟悉。

钥匙难道不是锁的天敌吗？

从这一活动中我获得了有力的证据，足以推翻一条近似真理的民谚：一把钥匙开一把锁。实际上，有些钥匙可以开不少的锁，如果加上耐心和灵巧甚至可以开无穷的锁——比如“万能钥匙”。

我发誓我仅仅是开锁并不是做贼。在我溜撬的短暂生涯中，我没拿过价值十元钱以上的物品，即便拿也纯粹出于喜爱并非贪婪。那时候人们都没有钱，那些现在被认为是必不可少的家用电器当时闻所未闻。

我常去光顾的学校前的那片楼区大都居住着国家机关的一般干部，家里多是公家发的木制家具，连沙发都难得一见。我印象里最阔气的一家，大概是个司长，家里有一台老式的苏联产的黑白电视机，那种木壳子的。我的确想了一下将其搬走，随即便产生了一个念头：这是犯罪啊！

我可以作证，当时除了有一些政治品质可疑的干部，贪官污吏凤毛麟角。

那些楼房从外表看都是一模一样的，五层，灰砖砌就；内部陈设也大同小异，木床、三屉桌和大衣柜、书架，新式一点的是米色油漆，老派的便是深褐色的。

上班时间，那些楼房常常整幢空无一人，我便在那些无人的住宅内游荡，在主人的床上躺躺，吃两口厨房里剩下的食物，看着房间里的陈设，想象着在这里生活的都是些什么样儿的人，满足呢还是失意。

有几次我甚至躺在陌生人家的床上睡着了，直到中午下班，楼道里响起人语和脚步声才匆匆离去。

我有把握不会被人擒住，那时人们在上班时间从不溜号，而且因为几乎不丢失什么东西，也没引起人们的警惕。

我走前有时还替过于邋遢的人家打扫一下房间，把未来得及叠的被子叠好。

我的文学想象力就是在那时得到培养的。

在这片楼区的旁边还有一片属于少数民族的回民聚居的平房，我从不去那儿。

我的故事总是在夏天开始的。夏天在我看来是个危险的季节，炎热的天气使人群比其他季节裸露得多，因此很难掩饰欲望。

那天下午，老师在课堂上讲巴黎公社的伟大意义以及梯也尔的为人。全班同学都昏昏欲睡，强撑着瞪大眼睛听老师讲课。至今我回想学生时代，最不堪回首的就是夏天下午的第一堂课，你只想睡觉他偏要喋喋不休。那些年夏天两点到三点传授的知识我一个字也没听进去，可能因此错过了人生最关键的点化，以致如今精神空虚。

为了不使自己当众睡着，我在第二堂课离开了教室。

我溜出了校门，顶着烈日穿过楼群间的空地，钻进了一幢幽暗阴凉的楼内。

楼内很静，每层紧闭的房门里钟表走动的“嘀嗒”声清晰可闻。

我开了几家门走进去，发觉这些人家我光顾过，便觉索然无味。

我打开了这幢楼顶层的一家房门，走了进去。这家主人的勤谨和清洁使我很有好感。简朴的家具陈设井井有条，水泥地板擦得一尘不染光滑如镜，所有的玻璃器皿熠熠闪烁；墙壁不像大多数人家那样乌黑、灰泥剥落，而是刷了一层淡绿的油漆，这在当时是很奢侈的。墙上没有挂伟大领袖的画像，而是用镜框镶挂了一幅黑白色调的杭州丝绣风景，上面是月光下浩渺的波光粼粼的湖水，一叶小舟，舟上有一个模糊的古代服饰的人影，一侧绣有一句古诗：玉田三万顷，着我扁舟一叶。

我很小便很赞赏人们在窘境下的从容不迫和怡然自得。

这是一套两居室的单元，我先进去的那间摆着一张大床，摞着几只樟木箱，床头还有一幅梳着五十年代发式的年轻男女的合影，显然这是男女主人的卧室。

另一间屋子虚掩着门，我推门进去，发现是少女的闺房。单人床上铺着一条金鱼戏水图案的粉色床单，床下有一双红色的塑料拖鞋，墙上斜挂着一把戴布套的琵琶，靠窗有一张桌子和一个竹书架，书架上插着一些陈旧发黄的书，这时我看到了她。

我不记得当时房内是否确有一种使人痴迷的馥郁香气，印象里是有的，她在一幅银框的有机玻璃相架内笑吟吟地望着我，香气从她那个方向的某个角落里逸放出来。她十分鲜艳，以致使我明知道那画面上没有花仍有睹视花丛的感觉。我有清楚的印象她穿的是泳装，虽然此事她后来一再否认，说她穿的只不过是条普通的花布连衣裙，而且在我得到那张照片后也证实了这一点，但我还是无法抹杀我的第一印象。为什么我会对她的肩膀、大腿及其皮肤的润泽有如此切肤的感受？难道不是只有在夏日的海滩上的阳光下才会造成如此夺目、对比鲜明、高清晰度的强烈效果？

现在想来，她当时的姿态不是很自然，颇带几分卖弄和搔首弄姿，就像那些电影小明星在画报上常干的那样。

但当时我就把这种浅薄和庸俗视为美！为最拙劣的搔首弄姿倾倒，醉心，着迷，丧魂失魄！除了伟大领袖毛主席和他最亲密的战友们，那是我有生以来第一次见到的具有逼真效果的彩色照片。

即便有理智的框定和事实的印证，在想象中我仍情不自禁地把那张标准尺寸的彩色照片放大到大幅广告画的程度，以突出当我第一眼看到她时受到的震撼和冲击。

黄昏，我才从那幢楼里怏怏不乐地出来，与下班下学回来的大人小孩擦肩而过，我们班的一位也住在这幢楼里的女同学看到我从楼里出来，停住脚若有所思地望着我。

那个黄昏，我已然丧失了对外部世界的正常反应，视野有多大，她的形象便有多大；想象力有多丰富，她的神情就有多少种暗示。

在我们这个地处温带、其居民的饮食结构又是以食草为主的城市，本民族的女孩子发育都很晚。与我同龄的女孩大都身材单薄、面带菜色，除了头发的长短不同和衣式的细微区别，她们并不具有特点。从民国男人们剪了辫子后她们便继承了这一惹人嘲笑的发式，这也是几年后当一些男人重新留起长发而女孩们纷纷解开辫子引得社会舆论大哗的原因之一——道学家们认为她们失去了唯一的女性特征。

这情势使我既纯洁又脆弱。

当然我的感情并非一直寂寞沉睡到那一天，犹如一个人被从梦中猛地唤醒。几乎是从幼儿园男女儿童的耳鬓厮磨开始，我便不间断地更换钟情对象。需要指出的是，我并未受到任何成人和淫秽书刊的影响，当时成年人中道貌岸然的君子比历朝历代都多，而书刊，谁都了然，其时只有“两报一刊”，最怀有偏见的人也找不出淫秽。后来，当我真的阅读那本著名的手抄本《曼娜回忆录》，也是出于人们谈虎色变所激发的不可遏制的好奇心和自然的需要。它是年轻人迷途知返的必由之路，并非将我拽入深渊的罪恶之手。老实说，这本小册子的糟糕描写曾在很长时间引起我对两性关系的厌恶。它的主要效果在我看来就是亵渎了人类健康的需要，颇似宗教经典中为了劝诫世人，使信民畏惧对炼狱烈火煞有介事的描述。

那年国际共运在全球、首先在东南亚取得了令人瞩目的胜利。

我国一直大规模援助的越共攻克了西贡，接着势如破竹地横扫了印度支那。红色高棉和巴特寮的西哈努克亲王和苏发努冯亲王分别在各自的国家掌了权。美国遭到了丢脸的失败。

但这些光荣的胜利已经不能使我兴奋了，我面临着个人的迫在眉睫、需要解脱的困扰。

我日复一日守候在那栋普通的楼房前，殷切期待着画中人出现。

我不止一次看到她的父母。他们常在傍晚时分骑着自行车从不同方向回来，有时车后架上还夹着一捆青菜或用网兜装着几个西红柿挂在车把上。

她的父亲很瘦小，总是穿着一身半旧的中山装，跟谁都客客气气地打招呼，有时还站在楼门口扶着自行车把和几个人聊上一会儿才上楼。他戴着副眼镜，因而看人的目光总有些茫然，后来当我看到名噪一时的陈景润的照片时，立刻在他们俩身上找到了共同点。

她的母亲则可算个迟暮美人，身材几乎和她父亲等高。那个时候人们普遍缺乏保养，妇女到了她那个年龄大都形容枯槁，但她仍保持着皮肤的白皙和头发的乌黑。一双眼睛也时而泛出光彩。她的面容很柔和，但态度冷漠，我从没见过她和一个邻居说话，每次下了自行车便径自上了楼，连她丈夫也不瞧一眼。

她的五官其实酷肖其父，但那时我认为她更多地继承了母亲的遗传基因。

我一次也没等到过她。有几次我一直等到夜里，家家户户都亮了灯，可她的那个窗户总是黑的。有时忽然开了灯，但出现在窗口的身影不是她父亲便是她母亲。

我壮着胆子在白天又几次摸进过她家，屋里总是出现一些细微的变化：譬如桌上出现了一本看了一半的书，换了一种牌子的雪花膏，枕畔遗落了几只发卡和几根长发，镜子上的薄灰被仔细地擦拭过。

我不知道她什么时候进来，又何时离去，她像一个幽灵来去无形，只在我的感觉和嗅觉里留下一些痕迹和芳香证实她的存在。

我延长了守候的时间，天还没亮便穿过全城赶到这里，万籁俱寂才乘末班车离去，仍旧一无所获。

这不寻常的活动规律引起了我父母的警惕，他们认为我一定又和坏朋友混到了一起，因为我无法解释如此披星戴月的理由。我受到了他们粗暴的对待，从此必须严格按照他们给我规定的时间表离去归来。

忘了是个什么日子，好像不是庆祝而是声讨、示威，我随着全校由鼓号队作先导的游行队伍在城里游行了一天，手挥纸旗跟着老师喊了一路口号。

那天全城各机关厂矿和学校都出动了，街上到处红旗招展、鼓号震天。在每一处街口都能看到数支队伍从不同方向浩浩荡荡走来，此伏彼起地振臂高呼口号。有的工人游行队伍还威风凛凛地敲着由三轮平板车拉着的大鼓。

这种游行示威通常是很累人的，要走很远的路到市中心广场，绕广场一周后再走回来，到了学校门口再解散。

那天天安门城楼上没有什么领导人出来检阅我们，大红灯笼和汉白玉栏杆间空空荡荡。

我们绕场一周雄壮地喊了些口号，和其他游行队伍共同制造了一些声势，便沿着大街往回走。

回去的路上大家都疲惫不堪，太阳又很晒，领头呼口号的全校最结实的体育老师也声嘶力竭变得安静了。大家一边懒洋洋地走，一边前后左右地聊天，看见路边卖冰棍的老太太，便围上去买冰棍，然后再去追赶队伍，在行列中东张西望吃冰棍蹒跚而行。

下午的街头都是垂头丧气、偃旗息鼓往回走的工人和学生的队伍，烈日下密集的人群默不做声一望无尽。

他们十几个人都穿着军上衣、懒汉鞋，或伏或蹬坐在自行车后座上，聚在十字路口的交通警察指挥台前，人人手上夹着、嘴里叼着一支烟，一边吞云吐雾一边眉飞色舞地说话，很惹人注目颇有些豪踞街头顾盼自雄的倜傥劲儿。

当和他们同龄的学生队伍经过时，他们扫去的目光充满冷漠和轻蔑，令那些规矩的同龄人很有些自惭和惴惴不安，老师们则装作视而不见。

他们是我的朋友，过去的同学，我父母禁止我再和他们接触的一伙。

高洋先看到了我，笑着喊我的名字，其他人也纷纷掉过头来看我，笑嘻嘻地指着我喊："没劲没劲。"

我自动脱离学校的队伍，大大方方走过去，心中充满有这么一群朋友的骄傲。班里的很多同学看着我，受到老师的催促，走远了。

许逊递给我一支"恒大"烟，我便也站在街头吸了起来，神气活现地乜斜着眼瞅着仍络绎不绝从我们身边经过的游行队伍，立刻体会到一种高人一等和不入俗流的优越感。

他们在谈女人，这是个新话题。过去我们混在一起时，只有打架才是我们感兴趣的。那时谁要和某个女孩子有点瓜葛，不但立刻威信扫地，而且肯定会遭到众人一致的羞辱甚至是一顿毫不留情的暴打，我们认为那是有失身份和玷污英雄气概的。我仅仅一两个月没和他们在一起，他们谈起女人时那种恬不知耻的深谙此道真像一个个都是猎艳老手。从他们的谈话中，我得知他们最近这段时间又认识了很多人，其中不乏在我们那个圈子里大名鼎鼎的人，不但结识了一些重要的男朋友，还和一些姑娘建立了直接的联系。

我感到了一种脱离组织的孤单和落伍于潮流的悲哀。

那天晚上，我第一次听到米兰的名字，但我以为那是另一个人，并未引起更多的关注。

他们用自行车把我驮回了家，坚硬凸出的车后座把我硌得十分敏感。

在食堂吃晚饭时，我看到他们凑在一桌低声交谈，脸上浮起那么相像的诡秘微笑，使人感到他们在共同酝酿什么期待什么。我实在难以忍受被再次排除在朋友们乐事之外，但父亲的在场使我不得不做出对一切无动于衷的样子。

他们的父亲大都在外地的野战军或地方军区工作，因而他们像孤儿一样快活、无拘无束。我在很长时间内都认为，父亲恰逢其时的死亡，可以使我们保持对他的敬意并以最真挚的感情怀念他，又不致在摆脱他的影响时受到道德理念和犯罪感的困扰，犹如食物的变质可以使我们心安理得地倒掉它，不必勉强硬撑着吃下去以免担上个浪费的罪名。

在晚饭快结束的时候，食堂里的人走得差不多了，就在我出神儿的时候，我的朋友们不知为什么，一下离桌围着一个系白围裙的战士打起来。食堂里的其他战士没有表现出集体主义精神和对荣誉的珍惜，怯懦地手拿饭勺子站在一边看他们的战友遭围殴。这个战士是个很强壮的青年人，但一虎难斗群狼，大概又有入党提干诸问题萦绕于心，并没放手还击，只是抵挡，很快鼻子便被打破了，流出浓稠的血。仍在食堂进餐的管理科干部试图劝阻，但未被理睬，自己也被搡到一边。后来，在食堂工作多年我们从小便吃他做的饭的胖子任师傅出来大吼一声，才骂走了那些惹是生非的男孩们，他们往外走时脚步十分急促，似乎唯恐避之不及。

我慢慢咽下碗里最后的几粒米，站起来往外走，食堂里的大人们都在愤愤不平地谴责这几个肆无忌惮的坏孩子，他们看到我时也怒形于色，院里的大人都知道我们是一伙的。

那时，我父亲已先走一步，否则，他会认为这些谴责同样是针对他的，那样的话，我当真就要为朋友们的行为承担后果了。

我穿过二进大殿门，走到每到春天便有桃花、梨花和海棠开放的花园的游廊上，迎面看见一个长着狐狸脸的女孩从月亮门旁的那挂果实累累的葡萄架下闪出来，沿着游廊向我走来。她的打扮一看就是那种爱招摇的不正经女孩，其实服装没什么特别的，连一件时髦的女式军衣都不趁，只是那两把长及肩头的“刷子”具有与众不同的含义。

我敏锐地意识到她是来找谁的，当时天色尚亮，花园有不少散步的大人和扎成一堆聊天的规矩的本院姑娘，大家都明白她是来找谁的。

我目不斜视地和她擦肩而过，头也不回地拐入我家住的那排原来是下人住的平房。可能是腼腆的天性，或是从小就善于习惯于在执有坚定道德观的大人面前作伪，我一向能很好地掩饰自己的兴趣所在，愈是众目睽睽愈是若无其事。时至今日，这已经成了一种顽固的本能，常常使人误认为我很冷漠或城府颇深。

回到家里，室内已经暗下来，我躺在床上看一本已经翻得很破的《青春之歌》。这本书在当时被私下认为适合年轻人阅读，书中讲述的一个资产阶级少女成为革命者的故事，在人们的疯狂尚未达到歇斯底里的程度之前，曾被认为是一种真实和必然。类似的书还有《钢铁是怎样炼成的》、《牛虻》。我不讳言，书中革命者的无畏和勇气曾使我激动不已心驰神往，虽然保尔·柯察金和亚瑟没有亲手打死成排成连的敌人使我觉得他们还不够传奇，但我最初的革命浪漫主义和对危险、动荡生涯的向往，确是因他们而激发。

而其中最使我着迷和醉心的是这些革命者和资产阶级妇女的恋爱片断。当保尔最终失去冬妮娅的时候我为他深深地遗憾，而冬妮娅和她的资产阶级丈夫再次出现时，我有一种撕心裂肺的痛楚，那时我就试图在革命和爱情之间寻找两全之策。

当我第二遍看《青春之歌》、《苦菜花》这些小说时，那些书中涉及性爱的张页犹如扑克牌中的王牌，都被翻得格外旧。

父亲进来视察时，我已经睡了。当他放心地回房后，我便重新穿上衣服，打开窗户，跳到了外面潮湿柔软的土地上。

天已经完全黑了，那时的天空还未受到严重的污染，比现在透明度好，月光更有穿透力，星星也比如今繁密、璀璨。

我沿着一扇扇窗前的杨树林走。银光闪闪的杨树叶在我头顶倾泻小雨般地沙沙响，透出蒙蒙灯光的窗内人语呢喃，脚下长满青苔的土地踩上去滑溜溜的，我的脚步悄无声息。前面大殿的屋脊上，一只黑猫蹑手蹑脚地走过。

我穿过一个个跨院、夹道、小广场和花园，路过八角香楼时，从装着铁栅栏亮着灯的地下室窗户看到我们院最漂亮的女孩子和卫生所的女兵在打乒乓球。

我来到后院墙杂草丛生的废弃游泳池边，远远看到黑黝黝的假山上，中间的那个亭子里有几颗晃动的忽明忽暗的烟头。

果然，他们都在这里，那个狐狸脸的女孩坐在高洋身边笑吟吟地从容应付他们厚着脸皮开的玩笑，她手里也拿着一根烟。

他们为我和那个女孩做了介绍，她的名字叫于北蓓，外交部的。关于这一点，在当时是至关重要的，我们是不和没身份的人打交道的。我记得当时我们曾认识了一个既英俊又潇洒的小伙子，他号称是“北炮”的,后来被人揭发,他父母其实是北京灯泡厂的,从此他就消失了。

于北蓓比我们中的哪一个都大，当时十八岁，应该算大姑娘了，可智力水平并不比一个十五六岁的男孩子更高。

她比我们要有些阅历，称呼起我们来一口一个“小孩”，提到不在场的人，也总说“那小孩那小孩”的。

她对我说话很随便，态度很亲热，一见我就和我开玩笑，说我长得很乖像个女孩儿。这使我又喜欢又窘，一向伶牙俐齿的我当时却喃喃地不知说什么好，脸也一定红了。除了哥们儿，从来还没一个人这么亲昵地对待我，更别说是个姑娘了，她那种满不在乎、随随便便的态度一下就把我迷住了。

因为只有她一个女的，所有人都和她开玩笑，但当时没一个人敢说过于猥亵的话。

大家问她愿意跟我们中谁，她觉得我们中哪个更漂亮。当时奶油小生还不是贬义词，很受少女青睐，而我们这些人都属于漂亮、健康的男孩子，后来我再也没交过这么一致漂亮的男朋友。

她胡乱指，甚至还指了我。虽然是戏言，可我心里还是美滋滋的，宽容地把她列入可以配得上我的那一档。她向一边挤挤，挪出一个空位，招手叫我坐到她身边，这在她并非有意引诱和挑逗，仅仅是为了使玩笑更具有一种逼真的效果，令气氛更加活跃。

我坐了过去，充满自豪。她用一只手搂住我的脖子，令我立刻透不过气来，这时我发现她原来就是和高洋勾肩搭背坐在一起。

我们搂抱着坐在黑暗中说话、抽烟。大家聊起近日在全城各处发生的斗殴，谁被叉了，谁被剁了，谁不仗义，而谁又在斗殴中威风八面，奋勇无敌。这些话题是我们永远感兴趣的，那些称霸一方的豪强好汉则是我们私下敬慕和畏服的，如同人们现在崇拜那些流行歌星。我们全体最大的梦想就是有朝一日剁了声名最显赫的强人取而代之。

说完好汉说侠女，谁最近又转入谁的手中“带”着，哪次有名的斗殴其实是哪个女的引起和召集的，后来又开始聊起本市哪个大院的女孩漂亮多情，哪条街上时常会出现一个绝佳少女而且目前不属于任何人。

这时，高晋提到了米兰的名字，她显然是于北蓓的女友，他们见过她。高晋请求于北蓓下次把她带来“认识一下”。

于北蓓笑着说你要看上她，自己去“拍”呀，你不是号称全市没有你“拍”不上的?

高晋表示他是真喜欢米兰，务必请于北蓓帮个忙。

于北蓓说米兰挺正经的，她和她说过好几次她都不肯来。

她搭在我肩上的手夹着烟，不时歪头凑手吸上一口，这时她就把我搂紧了，脸几乎挨上我的脸，我甚至能感到她眨动的睫毛在我面颊上引起的柳絮扑面般的茸茸感觉。

夜色中浮动着假山上栽种的丁香树、香椿树和其他草木的馥郁芳香，于北蓓天真无邪的举动使我对那一夜的真实细节只留下模糊的记忆，却有一个刻骨铭心的温馨印象。

后来，夜深了天也凉了，山下院内重重叠叠的窗户都熄了灯。有几个人困了，烟也抽光了，陆续散去回家睡觉。

我也该走了，心中担忧这么晚了于北蓓怎么回家，街上的公共汽车和电车都停驶了，可她没有一点想走的意思，坦然地坐在那里，眼睛在黑暗里闪闪发亮。每当我和她对视，她便微微一笑，十分深情、专注的神态。

当夜，我和汪若海结伴下山回家时，他便告诉我，于北蓓已在高洋家“刷”了两夜了。

我在朝阳门上了101路公共汽车，仅坐一站，便在人民文学出版社的灰楼对面下了车，外交部的国旗在我身后的白色耐火砖院墙内飘扬。

我到现今的“西德顺”饭庄当时只是一个叫“红日小吃店”的回民早点铺买了一个炸糕，边吃边沿着北小街往北走。

在烧酒胡同口的公共厕所里我吃完了炸糕，估计这条路上已经没有了去上班的院里大人，便出来穿过南弓匠营胡同继续往北。我过去的那所中学就坐落在这条胡同里，学校已经开始上课，胡同里只有一些迟到或旷课的学生在游逛。

在“三义公”杂货店门口，我看到院里干部上班乘坐的褐绿色大轿车驶出院门，在前方一个胡同口拐向南门仓胡同消失了。

我放心大胆地往院里走，一个我过去的同学站在路边他家院门口跟我打招呼，我问他怎么没去上课，他笑笑说不爱去。

院里空空荡荡的没什么人，只有几个公务班的战士从一辆卡车上卸麻袋装的大米，一些没有职业的家属坐着小板凳晒着太阳开党小组会，一个有三十年党龄在家乡当过妇救会长的妇女给大家念报纸。我从她们身边走过时，她们看我的目光很不友好。

每个院落、每条走廊都洒满阳光，至今我对那座北洋时期修建的中西合璧的要人府邸在夏日的阳光照射下座座殿门、重重楼阁、根根朱柱以及院落间种类繁多的大簇花木所形成的热烈绚烂、明亮考究的效果仍感到目眩神迷和惊心悸魂。

其实那府邸在当时便已很颓败破旧了，朱漆剥落，檐生荒草，很多果木已经枯死或不再结果，金鱼池被暖气管道覆盖，殿门上的彩色镂刻玻璃大都打碎，一些有特点的建筑经过修补和翻盖已然面目全非。

我怀着忐忑不安和充满渴求的心情急急向高洋家走去，一门心思想着于北蓓，一方面渴望了解真相，一方面又生恐唐突不是使他们而是使自己陷入难堪。

她睡在高洋、高晋哥儿俩家使我昨天一夜为她忧心如焚。

他家的偏院内十分静谧，向阳的围廊里晾着邻居家刚洗的床单和衣服，空气中有浓重的潮腥气。

我敲了两下门，屋里没人答应，一片死寂。我正欲再敲，忽然失去了勇气，心惊肉跳地退了出来。

我垂头站在偏院外大院落的堪称小广场的天井中，阳光如同扬起的粉尘纷纷落下，心中茫然，进退失据。

对面二层楼走廊的小木栏杆后，有一个白发苍苍的衰老妇女推着一辆坐着个婴儿的童车掉头看我，在阳光中面容模糊。

我走开了。路过汪若海家窗前，喊了他两声，听不见回声，便去礼堂楼上的方方家。他正在睡觉，开了门又躺回床上。

我点着一根烟，坐在一边抽，刚吸了一口就呛得咳嗽起来，喝了口桌上杯里的剩水，认真地一口一口抽起来。

方方也点了一根烟，躺在被窝里抽，把烟雾吐向天花板。他问我为什么没去上学？我说早烦了。我问他汪若海他们今天怎么想起去上学了。他说他们一会儿就回来。

没等多久，许逊、汪若海等人一个个背着书包回来了，撂下书包就抢烟抽，互相打闹着，嘴里不干不净骂着脏话。

我也和他们一起互相辱骂，用最下流最肮脏的词句，没有隐含的寓意，就为了痛快。

然后我们就一起出去奔高晋、高洋家。许逊、方方一到便用力砸门，使脚踢门，汪若海还跳上窗台扒着窗棂往里看，笑嚷："看见你们了，别急慌慌穿衣服。"

于是我也忙不迭地往窗户上爬，上去才发现窗户上严严实实遮着窗帘。

高晋笑着把门打开，放我们进去，嘴里说："这帮土匪。"

进了房间大家便往里屋闯，高洋、于北蓓穿戴整齐地坐在藤沙发上含笑望着我们，就像一夜没睡一直坐在那儿等着我们的到来。

"想看什么呀？"于北蓓说，"没见过是吗？"

高晋跟进来问我："你早上是不是来敲过一次门？"

"没有。"我当即否认。

"你们三个人昨晚怎么睡的？"方方问他们，"屋里就两张床。"

"上半夜睡这张床，下半夜睡那张床。"于北蓓从容应付，然后咯咯笑起来。

她的这副腔调立刻使我如释重负，那明显的玩笑口吻和毫无半点羞惭的态度，使我觉得她什么都不会当真且问心无愧，过于荒谬的供认往往使人相信这一切都是虚构的。

我变得快活起来。

中午吃饭的时候，由于怕被我爸爸看见，我不能去食堂，于北蓓也不便在食堂公然露面。于是我和她单独留在屋里，等他们吃完饭再给我们打回来一份。

我和她已经很熟了，可只剩我们俩在阴森森的大房间里时，我还是像一下被人关了开关，没词儿了，只是沉默地抽烟。

“你在家是个好孩子吧？”她把脸凑上来盯着我问，一口烟喷到我脸上。

“根本不是。”我挥手赶散烟，又向她脸上吐了口烟，“我是我们家挨打次数最多的。”

她在烟雾中睁着眼睛笑，鼓足腮帮子用一个手指敲腮帮子侧，吐出一连串的小烟圈，“真看不出你像坏孩子。”

她一张嘴说话，烟就全吐了出来，她又吸足了一口，全神贯注地制造烟圈。

我真想用两指使劲一捏她圆鼓鼓的腮帮子，来个一气尽吹的效果，想得心里直痒痒，就是不敢真伸手去干。

“其实我坏着呢，只不过看着老实。”我对她解释，“学校老师也都刚见我挺喜欢，后来没一个不讨厌我的。”

“你会吐大烟圈吗？”她忽然过来，扒着我肩膀，一嘴烟气地问。

“不会。”我说，吐了一个，果然不成形。

“我会。”她说，在我耳边接连吐了几口烟，但无一成功。

“前两天我还吐出一个特大的呢。”她说，很有耐心地坚持吐。她嫌这儿靠近窗户有风，坐到墙角的藤沙发上面朝墙吐。

我问她上学呢还是已经工作了。她回头告诉我她早就工作了，初中毕业便去郊区一个果园农场当农工，每个月挣十六块钱工资。

“我现在是学徒，出师后就能挣三十多块钱了。”她补充说。

“那你够富裕的。”我表示对她已经挣工资的羡慕。

接着我问她老在外边“飘”，她爸爸不生气吗？每天和男的混在一起。

“他都气死了，可又没办法。”于北蓓笑着说，“好几次都说不认我这女儿。”

“打过你吗？”

“怎么不打？捆起来打。”于北蓓做了个手脚被束缚的样子。

我抓紧时间教育她，“其实你没必要每天不回家，在男的这儿住。我们都挺坏的，万一哪天真出了事多不好……”

“他想打我，可打不着，一打我就跑。”于北蓓听清了我的话，好笑地望着我，“会出什么事？我早出事了，还等到你们这儿再出事？”

她不屑地瞟了我一眼，把烟蒂扔到地板上用脚碾灭，抬头又白了我一眼。

我惭愧地低下头。

她忽然怒容满面。

吃饭的时候，她对我很冷淡，不停地和别人说笑，玩笑开得比昨天晚上更加露骨，使得一屋人兴奋异常，开心的哄笑声几乎掀翻屋顶。

她上气不接下气地笑，一边用筷子把菜盘里的肥肉挑拣出来，扔进我盘里，我把那些肥肉又一片片夹到桌上，很快便堆起了白花花、油汪汪的一坨。

下午，我们没烟了，大家掏兜凑够了一包烟钱差我去买，那些钱只够买一包“光荣”或是“海河”的。于北蓓拿过自己的军用挎包，摸出一张红色的五元钱让我买两包好的。

在院门口，我碰见了许逊的妈妈，这使我很懊恼。这女人在院里正直得出了名。对待我们这些孩子就像美国南方的好基督徒对待黑人，经常把我们叫住，当众训斥一顿。虽然她儿子和我们一样坏，可这并不妨碍她的正直。我敢断定，她十有八九会把上学时间在院里看见我这件事告诉我父亲，从中不难得出我逃学的结论。

这个娘们儿大概一辈子没吃过亏。

我买烟回来，他们正在屋里鬼鬼祟祟地商议什么，一见我推门进来，于北蓓忽然大叫一声，笑着向我扑过来，没等我闹清怎么回事，她已经一把搂住了我，在我右脸蛋上结结实实亲了一口。

大家呼啦围上来，看着我的右脸笑说："不行，没有印儿。"

这时我才发现于北蓓手里拿着一管口红，她本来准备涂得厚厚的，给我脸上盖个清楚的章，正涂了一半，我便回来了，破坏了他们的计划，这是高晋的主意。

实际上，这一戳记已经毫厘不爽地深刻地印在我脸上。

在其后的一周内，她的双唇相当真实地留在我的脸颊上，我感觉我的右脸被她那一吻感染了，肿得很高，沉甸甸的颇具分量。

这是猝不及防的有力一击。那天下午我一直晕乎乎的，思维混乱，语无伦次。但就在那种情形下，我仍小心翼翼地保持着分寸，不使别人看出我心情的激动，如同一个醉酒的人更坚定地提醒自己保持理智。我以一种超乎众人之上的无耻劲头谈论这一吻，似乎每天都有一个姑娘吻我，而我对此早就习以为常。

他们仍旧嘲笑我，说我看于北蓓的眼睛都直了，说我爱上她了。于北蓓也走上前盯着我的眼睛问是吗？

我用力推开了她，她揉着胸说我把她搡疼了。在别人的怂恿下，她再次上前要亲我一口，我拧着她的胳膊把她别转过身去，抓住她另一只挥舞挣扎的手，将她两臂反剪在身后，迫使其弯腰低头，快乐地尖声大笑，直到她疼得龇牙咧嘴都快急了才松开她。

她怒不可遏地冲上来要抽我，在别人的劝阻下才没有真动手，揉着疼痛的胳膊恨骂不休，别人也都说我开玩笑太没轻重。

后来她又转怒为喜，去亲许逊和汪若海，我坐在一边抽着烟看着他们调笑，心中充满耻辱和羞愤。

那天晚上，我对父亲的盘诘表现得相当无礼，他一开口我便坦率地承认了今天没去上课。这似乎使他失望，他大概期待我对此进行一番花言巧语的狡辩，他便可以痛快淋漓地揭露我，从而增强震慑效用。

在发生了如此严重的事件之后，我他妈才不关心逃学会有什么后果呢！

“我已经承认了，你打我一顿得了。”我不耐烦地对他说。

我对那次皮肉之苦毫无印象，只记得夜里醒来，很久不能入睡，满怀对那一吻的甜蜜回忆和对于北蓓的深深眷恋。

第二天，我还是老老实实到学校去了。这是我的一个习性：当受到压力时我本能地选择妥协和顺从，宁肯采取阳奉阴违的手段也不挺身站出来说不！因为我从没被人说服过，所以也懒得去寻求别人的理解。人都是顽固不化和自以为是的，相安无事的唯一办法就是欺骗。

如果说过去我对上学只是厌倦，现在则完全是厌恶了。老师充满信心灌输给我们的知识是那么肤浅和空洞，好像在我们的一生中真有多重要的作用似的。我觉得这个课堂完全不适合我，连坐在这儿听讲的姿态都显得那么幼稚。

我在课堂里无聊地坐了一上午，认为已经给了老师和家长足够的面子，中午一放学，我便偷偷背着书包溜走了。路过那栋灰楼时，我只稍稍想了一下那个令我神魂颠倒的照片中的姑娘。

我在王府井南口找到了他们。他们在“中国照相馆”门前的树荫下的护路栏杆上坐成一排，一边吃雪糕一边盯着过路的姑娘。

那时王府井南口的路边天天麇集着一伙伙穿军衣的年轻人，成群结伙地追逐少女，或是干脆无所事事地待着，互相结交，一些严重的集体斗殴事件也时常发生在那里。

到那儿去的年轻人，不论男女，清一色地穿着军装。那时军装的时髦和富有身份感是如今任何一种名牌的时装所不可比拟的。也只有军装在人民普遍穿着蓝色咔叽布或棉布制服的年代显出了面料和颜色的多样化。国家曾为首批授予军衔的将校军官制作了褐黄、米黄、雪白和湖绿的咔叽布、柞蚕丝以及马裤呢、黄呢子的夏冬军服，还有上等牛皮缝制的又瘦又尖的高靿皮靴。

这些都是值得炫耀的。使我惊奇的是这些带垫肩的威风凛凛的军装穿在那些少年身上是那么合体，想来当时军官们的身材都很矮小。

这些穿着陆海空三军五花八门的旧军官制服的男女少年们在十多年前黯淡的街头十分醒目，个个自我感觉良好，彼此怀有敬意，睥睨众生，就像现在电影圈为自己人隆重颁奖时明星们华服盛妆聚集在一起一样。

于北蓓和他们在一起，同时在一起的还有另一伙人，她和两伙人都很熟识，那伙人也带着两个女的，大家混杂在一起说话。

她看到我很友好地笑，全然没有昨日不快的阴影。我也对她笑，我们像老朋友一样聊天。

一个很水灵的单身小姑娘从我们面前经过，大家像看驶过的“红旗”车一样盯着她看。高洋和那伙人中最漂亮的一个男孩，追上去一左一右夹着她嬉皮笑脸地和她搭讪。

小姑娘只是低头加快脚步走，一声不吭。他们跟她走到新华书店大楼门前便扫兴地回来了。

片刻，小姑娘又从原路回来了，犹犹豫豫似乎有点不再敢经过这里。我们大家看着她笑，高晋对于北蓓说："你去跟她搭话。"

于北蓓跳下栏杆就向姑娘走去，在不远处截住她和她说什么，笑着回头看我们。

小姑娘脸红了，看了我们一眼又胆怯地缩回目光。我想她一定会过马路从街对面走掉，可她始终站着不动。过了一会儿，她羞答答地跟着于北蓓向我们走了过来。

"发给你吧，你们俩聊聊。"于北蓓笑着对我说，把我从栏杆上推下来。

我实在很喜欢小姑娘的娇羞动人的神态，看年龄她比我还小，正是我在学校常常倾慕的校宣传队跳舞的那种女孩儿。我问她是哪儿的，她说是少年宫合唱团的，又问她的名字，来王府井买什么东西。她羞得满脸泛红，眼神一个劲躲闪，却始终面带笑容。在她面前，我觉得自己很老练，可再往下就没词儿了，不知该说什么，只是看着她傻笑。

她倒很快镇定下来，不再害羞。另一伙中的一个胖乎乎的男孩口齿伶俐地跟她攀谈起来，一两句话就说得她开心地笑起来。

我们一点没注意街上情况的变化，等发现刚才还三五成群遍布街头的穿军装的男女少年忽然都不见了时，一个民警已经带着七八个工人民兵把我们围住了。

我们被带到"儿童电影院"，那儿是民兵小分队的据点。他们简单搜查了我们的身上，然后让我们解下鞋带和裤腰带，由两个民兵把我们解往"东风市场派出所"。

我们提着裤子趿着鞋，像一队俘虏被押着穿过熙熙攘攘的王府井大街，很多成年人驻步好奇地看我们。于北蓓虽然也提着裤子趿着鞋模样狼狈不堪，但神态像我们一样坚强，不屈不挠。那个小姑娘则一路哭哭啼啼，万分委屈，辫子不知何时都散开了。我真觉得她给我们这一行人丢份儿，很想回头呵斥她。

在派出所的四合院里，我们被关进了三间通厦的北房里，一个个被命令在地下蹲着面朝墙，不许说话。

屋里已经绕墙一遭蹲满了少男少女，刚才街上神气十足的那一伙伙人大部分都到齐了。

民兵们还在不断往屋里解人，墙边已经蹲不下了，新到的便在地当间一排排蹲下。再后来的就胡乱找个地方蹲下，面朝四面八方的都有。有的人蹲累了便悄悄交替挪动双脚，把双手放到膝上撑住头。

我们低着头互相瞅着悄悄笑。

有人放了一个屁，屋里响起一片低低的笑声。不少人抬起脑袋东张西望，受到看管民警的呵斥，像割倒的麦子纷纷低下去。

就在这时，米兰和另一个姑娘被带了进来。我听到门口的一个女民警恶声恶气地骂："臭德性，还涂口红呢！"

我回头，正看到米兰在我身后蹲下，女民警显然骂的是她，我看到她红着脸在笑，而她的嘴唇确实红艳欲滴。

她比照片上要高大，后来当我们都站起来时证实了我这个感觉：丰满，更加红润，发育得像个白种女人，这使她看上去比我看的照片里的她自己要大得多。

后来，我再三端详她后，为她找到了一个恰当的比喻：她给人的感受犹如西餐中奶油、番茄汁掺在一起做成的那道浓汤的滋味。

说实在的，她可能不比照片上的那个形象更具纯粹意义上的美感更令人陶醉和遐想。有一瞬间我也怀疑她们仅是相像。但我看她的第二眼，这个活生生的、或者不妨说是热腾腾的艳丽形象便彻底笼罩了我，犹如阳光使万物呈现色彩。

她的眼珠像两颗轻盈的葡萄在眼波中浮起，这使她随便看人一眼都是一种颇感兴趣的凝视和有所倾心的关注。

她在微笑，是朝蹲在另一边偷偷向她递眼色的于北蓓。

我哭了，一进民警办公室，看见那个民警在摆弄一副锃亮的手铐就给吓哭了。虽然我进去前再三叮嘱自己，哪怕他们吊打我，尽可以招供，但决不能哭！可一进门，人家正眼都没瞧我一下呢，我自己却先挺不住了，看来以后真是不能打听太多党和国家的机密，否则被谁抓了去跑不了要当叛徒。

我一哭，使那个警察很反感，轻蔑地看着我，“就你这尿样儿还打算在我们王府井一带称王称霸呢？告诉你，什么镇灯市口，戳南池子，公安局全镇！说，哪儿的？叫什么名字？来王府井想干吗？”

我说我是哪儿的叫什么名字来王府井想买字典。

“去去，擤擤鼻涕走吧，以后少来王府井玩。”警察草草问了一遍，让我认走自己的皮带和鞋带，又叫带下一个。

我连忙擦干眼泪，穿好鞋带，扎紧裤子，灰溜溜地贴着墙根窜出派出所。

我没有等其他同伙，先坐车回家了。路上我非常生自己的气，觉得这事要传出去自己可没法做人了。

那天晚上，我没有出门，像个女孩子天黑就上床睡觉了，对父母十分驯服。既然我已经在一种势力面前低了头，我宁愿就此尊重所有势力的权威，对一个已然丧失了气节的人来说，更坏更为人所不齿的就是势利眼。

我多么渴望能遇见一个一起被捕的朋友，那样我便可以从他看我的眼神中观察到我是否暴露。如果没有，我发誓我要像那些仅有自首行为并未出卖同志或决心以后不再出卖的好人们一样，面不改色心不跳地成为最坚定、最不妥协的一分子。

第二天晚上，我刚躺下，就听到窗外有人轻轻敲玻璃，我撩起窗帘，看到许逊和于北蓓站在纱窗外的月光下朝我笑。

于北蓓凑近小声对我说："怎么这么早就睡了？昨天你怎么没来？"

我又难过又欢喜，飞快地穿上制服短裤打开窗户跳了出去。

落地时，于北蓓轻轻抓住我的手，扶我站直。

"你爸又管你了？"许逊问我。

"都是你妈告的状。"我不假思索地把两件不相干的事联系在一起使之成为冠冕堂皇的借口。

于北蓓在黑暗中紧紧攥着我的手，我也无意松开，很快两只手便变得汗津津、滑腻腻。她边和与我们并排走的许逊说话，边用小指尖在我的掌心轻轻划。

我在路上迅速为自己想出了一个很巧妙的解释，不但可以掩饰甚至还能突出我的机智：我在派出所装哭，以骗取警察的掉以轻心，从而很顺利地脱了身。

那种大灰砖的老房子隔音很好，加上所有窗户都糊了黑纸并拉上从礼堂偷剪来的帷幕窗帘，高晋家从外面看上去就像屋里没人。

进去才发现坐了一屋人，灯光雪亮刺眼，人头攒动人语嘈杂。

夏天如此遮蔽门窗，室内闷热可想而知。男孩们大都只穿件小背心，肥大的军裤绾到大腿根，热得满脸通红，拼命扇着扇子，同时嘴里不停地抽烟。浓郁弥漫的烟雾使人忍不住流泪。

他们各个表情严肃，阴郁地低声议论着什么，有人在摆弄钢丝锁，抡得呼呼生风。

我也立刻严肃起来，意识到一定发生了什么严重的事情。

这时，高晋、高洋陪着汪若海从里屋走出来，汪若海一脸伤痕和红肿。

高晋脸色阴沉地对我说："汪若海刚才在院门口让'六条'的几个小晃截了，拍了几砖头，差点给'花'了。"

我二话没说，气势汹汹地转身在屋里找家伙。所有的改锥、锤子或菜刀包括水果刀都被人握在手里装进书包。

院里的一些上小学的半大孩子都被动员来了，他们为大孩子的信任有幸参加这次光荣的出击激动得微微战栗。

"走吧。"高晋下令。我看到他把一柄日本三八枪刺刀揣进斜挎在胸前的军用挎包内。这是当时最专业的战斗装束，像带领一帮手拿锄头和镰刀的泥腿子去打土豪的农会领袖手中挥舞的系红绸子的驳壳枪令人羡慕。

大家呼啦啦往外走。

"女的别去了。"在门口高晋对于北蓓说。

我们骑上自行车，没车的就在前梁和后架上带着，一路摇着转铃在夜幕下浩浩荡荡出了院门。

门口一些乘凉的家属和战士瞪大眼睛看我们。

"怎么走？"率队骑在前面的高洋大声问汪若海。

被方方用"二八"锰钢车带在大梁上的汪若海一指右前方，"走仓南胡同。”

在北京军区总医院院墙外我们看到两垛红砖堆，赤手空拳的孩子们便纷纷下车，搬下砖头在柏油马路上摔为两半，一手各拿一块半截砖头跑步上车继续前行。

24 路公共汽车站旁边的一处居民院落正在修缮房屋，院门口堆了一堆沙子和一堆白石灰，几个赤膊少年正在沙堆上练摔跤。

“就是这几个。”汪若海喊。

我们立即在路灯柱下停车下来。那几个少年眼尖，发现我们撒腿就跑，沿着大街狂奔，见胡同就往里钻。

我们一窝蜂地在后面紧追，一边破口大骂，一边把砖头雨点般地掷向前边拼命逃窜的野孩子们赤裸的后背。

一辆 24 路公共汽车在街中心猛地刹住，司机、售票员和乘客纷纷从车窗探出头观望。

一些在路灯下乘凉下棋的居民百姓也紧张地从竹椅和小板凳上站起来。

我们愈发精神抖擞，气焰嚣张。

拿过全市中学百米跑季军的高洋在吉兆胡同口一把抓住了一个正要往院门里钻的孩子。

我们随后紧紧围住了他。

那孩子在路灯下气喘吁吁地转过脸，由于恐惧脸色苍白，和他那头乌黑蓬乱的头发对比强烈。他声嘶力竭地叫嚷：“没我事，我刚从家里出来。”

然后他一眼看见我，目光在我脸上停留了几秒。他曾是我们班和我相当要好的一个同学，他爸爸是六条副食店的经理。

高洋得意地掐着他脖子，使他的头向后仰，声音也变得呜咽喑哑。

“有他没有？”他喘着粗气问汪若海。

汪若海还没说话，方方一声不吭地从人群中挤上来，用手里的砖朝这孩子的颅顶使劲一拍，大家同时把手里的砖头一起砸下去，并抡起钢丝锁没头没脑地一通乱抽。

高洋松开手，那孩子贴着墙根瘫倒在地。我不声不响地用手中的砖头在他身上一通乱砸，直到大家都散开跑走，仍没歇手，最后把那块已经粘上血腥的砖头垂直拍在他的后脑勺上，才跑开。

他们已经骑上自行车，乱箭般嗖嗖地消遁于昏暗的街头。

只记得我在街上没命地跑，路边一些面相凶恶的赤膊大汉瞪着我；路灯昏黄的光晕下，一地赭红的完全粉碎的砖头屑；那个同学软绵绵地脸朝下俯卧在黑黢黢的墙根，形若一段短短的焦炭。

似乎还有他在一群人的紧紧追赶下近乎痉挛抽搐的奔跑姿态和格外惨白的脸庞以及黑洞般绝望的两只睚眦欲裂的眼睛，实际上我当时根本不可能从另一个方向迎面看到他的表情。

我们兴高采烈地回到院里，下车伊始便开始竞相夸耀。我的英勇无畏有目共睹，大家纷纷过来拍着我的肩膀称赞我：“别人都撤了你还在那儿打，手够黑的。”

我骄傲地挺着胸脯微笑着，一边吹嘘着一边偷眼去瞧笑眯眯望着我的于北蓓。

大家找出半盒皱巴巴的烟分了抽。按照我们吹嘘的战绩，那个挨打的孩子必死无疑。

后来，我们拿了手电筒，从澡堂的窗户跳进去洗凉水澡。

澡堂的水泥地很滑，有人一进去就光脚摔了个大马趴。我们打着手电光柱晃来晃去找着一个个淋浴喷头。

凉水从莲蓬头喷泻而出，冰冷的水打在我们汗淋淋的温热身体上，激得大家快活地大叫，这叫喊在空旷的间间浴室内引起阵阵嗡嗡的回声。

晶莹的水珠在天窗透下的月光中泛着凛凛青辉的坚硬的水泥地上飞溅，犹如无数透明薄脆的玻璃杯接二连三地打碎，一地残片熠熠闪烁。

大家边洗边用手电相照下体，拿发育充分的取笑。

“直了直了！”大家忽然一起指了个半大的孩子。

在倥偬倏亮的手电光中，我看到一个骇人的勃起。

犹如肚子被撞了一肘，我感到一阵恶心，就像人脑袋上突然长出一枝梅花鹿的角杈令我无法忍受，简直是活见鬼！

“你怎么这么流氓！”方方抬手给了那孩子一个嘴巴。

那孩子被打哭了，捂着下体委屈地申辩，“我是尿憋的。”

“滚蛋！”高洋一脚丫踢在那孩子的屁股上。

我已经迟到了，所以也不着急，慢慢沿着自行车道的洋槐树荫溜达，想等第一堂课上完了再进校门。

她从木樨地地铁站口出来，向我斜插过来，在前面的路口拐进楼区，那时木樨地大街两旁还没有盖高大建筑，所以她一直处于我的视野之中。

她走路的姿态很勾人，各个关节的扭摆十分富有韵律，走动生风起伏飘飞的裙裾似在有意撩拨，给人以多情的暗示。她的确天生具有一种娇娆的气质，那时还没有“性感”这个词。

我像一粒铁屑被紧紧吸引在她富有磁力的身影之后。

从那天晚上的夜袭之后，我对自己变得很有信心。我觉得自己已经是个取得资格承认的小“玩闹”，可以像一个真正的“顽主”一样行事，而真正的“顽主”是不惮于单枪匹马的。

我克服胆怯的诀窍就是：闭眼。

我快步走近她，在她身后朝她叫："喂，喂……"

她没有停步，只是微微侧脸回眸迅速乜斜了一眼。

"你等等，我有话对你说。"我嗓音稚嫩地对她说，抢到她前面拦住她。

她绕开我继续往前走，同时好奇地打量我。

"你等等，别走哇，听我说！"我手忙脚乱，书包一下一下拍打着胯部，再次拦在她前面。

她犹豫地站住了，困惑地望着我，然后她笑了。

她这一笑坏了，我一下脸红了，肚子里背好的词儿也全忘了，明知是俗套儿，也只好硬着头皮背诵似的说：

"我仿佛在哪儿见过你。"

"得了，小毛孩儿，你才多大就干这个？"她忍着笑继续朝前走，走出几步还含笑回头看我。

我也笑了，她的笑容鼓励了我，我觉得自己脸皮忽然厚了，追上她，对她说：

"你不就是前边那楼的吗？"

"你是那中学的学生吧？"她皱皱眉头加快脚步。

"我还在东风市场派出所见过你。"我大声对她说。

她像脚底踩着了一个钉子立时站住了，转身看我，似乎有些不知所措。

"怎么记性那么不好呢？"

她像我刚才一样刷地红了脸。我凑上去鬼鬼祟祟地对她说：

"咱们到那边树荫底下去说呀？这路上有人看咱们。"

她飞快地瞟了眼过路的老太太，冷冷地对我说：

"有什么话你就在这儿说吧。"

“能和你认识一下吗？”我诚恳地说。

“我觉得没必要。”

“交个朋友吧。”这句话我说得十分老到、纯熟。

她“扑哧”笑了，大概这句话她听人说过千百遍，今天从这么一个比她矮半头的小孩嘴里一本正经地说出来使她觉得好玩。

“一看你就是一个坏孩子。”

“认识一下有什么坏处？你可以当我姐姐嘛。”

“你到别处认姐姐去吧。”她转身欲走。

“你不跟我认识，我打你！”我恫吓她。

她嘲弄地看我一眼，“你打得过我吗？”说完撇下我往前走去。

我沮丧地望着她的背影，想骂她几句，可离学校门口太近，路上又人来人往的，怕惹起一场是非，也未必能占到便宜。

就这么眼睁睁地放她走了？我知道如果这次放了她，下回再碰见我也不会有勇气跟她搭讪了。

这时，我见她的脚步慢下来，在十几米开外停住，回过身来招手叫我：

“你过来，小孩。”

我眉开眼笑，近乎蹦蹦跳跳地飞跑过去。

“你多大了？”她问我。

“十六。”我多说了一岁。

“你骗我吧？”她也笑，“你哪有十六岁？是周岁吗？”

“你多大了？”我问她。

“反正比你大多了，十九。”她若有所思地望着我，“你真想认我当姐姐？”

“真的。我一见你……怎么说呢，就觉得你像我姐姐。”

她抿嘴笑：“你有姐姐吗？”

“没有，只有一哥哥。”

“你要认我当你姐姐，那你听我话。”

“保证听话。”

“不许乱来，以后不许再到街上追女孩子了。”

“我这真是头一次。”这我倒是说的实话。

“谁信哪！”她一撇嘴，“看你就像小油子——你叫什么名字？”

我告诉了她我的名字，她也告诉了我她叫米兰，我没有把她和于北蓓提到的那个名字联系在一起。

我问她平时是不是老不在家住。

“你怎么知道的？”

我在那个年龄是很乐意扮演无所不知、无所不能的角色。我对她说我不但知道她家住几单元几号，也知道她父母长得什么样，骑的什么牌子的自行车。

“看来你还真是对我的事知道不少。”

米兰告诉我，她上班的地方离城里很远，所以不常回家。这一阵她生病了，才每天在家。我问她生的什么病，她不肯说，让我少打听。又说其实也不是什么大不了的病，只是不爱上班，所以开了假条在家待着。她主动对我解释那天被抓进派出所，纯属莫名其妙。她刚从郊区进城回家，想顺便到王府井买斤毛线，遇见一个同学打了个招呼，就被一起抓走了。

“你是涂口红了吗？”我问她。

“我从不涂口红。”她努着嘴唇给我看，“天生就这么红。”

我本来是不想去上课了，可说了会儿话，米兰就撵我走，让我必须放学才能去找她玩。我想和她约好下次见面的时间和地点，依我的意思，最好在北海公园或中山公园门口。

米兰笑着说：“你算了吧，去那种地方干吗？你不是认识我家吗？想找我就到我家敲门好啦，我基本上天天在家。”

我郑重其事地对她说：“我不喜欢和别人家的大人打交道。”

“我爸爸妈妈人特好，从不盘问我的客人。”

她用两手搭在我的双肩上，把我转了个身，向校门口方向轻轻一推：

“走吧，别恋恋不舍了。”

我走到校门口，回头张望。她站在她家楼门前，远远地朝我微笑，那是我一生中得到的为数不多的动人微笑之一。

每次我都是怀着激动喜悦的心情，三步并作两步连蹿带跳地爬到顶层去敲她家门。可不是敲了半天屋里没人，就是她父亲或者母亲在里面应声问：“谁呀？”吓得我刺溜一下顺着楼梯踮着脚尖逃走。

那些楼梯的台阶布满污秽和痰渍，每一个拐角都堆着破竹筐和纸板箱，有时还坐着俩玩烟盒或冰棍棍的小孩，我从这一切之间慌慌张张穿过去时充满屈辱感。

这就像一只勤俭的豹子把自己的猎获物挂在树上贮藏起来，可它再次回来猎物却不翼而飞。我对米兰满腔怒火！我认为这是她对我有意的欺骗和蔑视！

在我少年时代，我的感情并不像标有刻度的止咳糖浆瓶子那样易于掌握流量，常常对微不足道的小事反应过分，要么无动于衷，要么摧肝裂胆，其缝隙间不容发。这也类同于猛兽，只有关在笼子里是安全的可供观赏，一旦放出，顷刻便对一切生命产生威胁。

那天的课程非常重要，老师正在布置期末考试的复习范围。

我之所以不大上课，每次又都能顺利通过考试，全赖这几堂课的专心听讲和之后的按图索骥。那天我正在课本上画着需要背诵的课文，忽然按捺不住了，数学课本封面上的两个圆和一条直线使我像化学老师手中的试管剧烈晃荡。那是一次对人的生理功能受精神作用的屏蔽和操纵的切身感受。我一下失聪了，眼睁睁看着讲台上的老师，也能听到窗外的鸟鸣车响就是听不到他翕合的嘴里讲的是什么。

我必须立刻见到米兰！哪怕是为了考个好成绩。

我脑子里只有这个念头。这念头甚至变成了一种迫切的生理需要，就像人被尿憋急了或是因晕车产生的难以遏制的呕吐感。

同学和老师都注意到了我的脸色苍白，所以对我匆匆走出教室并无诧异，老师甚至还问我要不要找个同学陪着到校医室，被我拒绝了，我一句话都说不出来。

我在向米兰家走去时，心里充满对她的厌恶。我本能地对自己处于这种受人支配的状态产生抗拒。与其说我是急于和她相会，弗如说我是力图摆脱她，就像我们总是要和垂死的亲人最后见上一面。

她在家，这我没敲门就感觉到了。没有任何迹象，香味、音乐以及轻轻的脚步声，帮助了我的预感，可我就是准确地料到了。实际上也不是什么惊人的直觉，只不过是对自己的强烈期望信以为真了，而事实又碰巧和这期望吻合。

我刚敲了两下门，屋里就响起窸窸窣窣只有年轻姑娘才会那么轻盈的脚步声，接着她贴在门后声音很近地问："谁呀？"

她打开门，抱着门扇看着我，过了片刻才认出我，笑着说："是你。"

然后她放我进去。她正在洗头，头发湿淋淋的，从厨房到门口滴了一路水。

这时，我听到另一间屋传出她母亲的声音，“谁来了？”

“你妈妈在家？”我立刻变得紧张不安。

“她生病没去上班——找我的。”她高声对那屋说，又对我道，“你先到我房间去，我把头洗完。”

说完她就回了厨房，厨房立刻响起水龙头放水的哗哗声。

我进了她那间洒满阳光的房间，从镜子里发觉自己笑嘻嘻的，那些难堪的症状都消失了，自我痊愈了，连最小的瘢痕和疥癣都没有，就像从来都没有发作过。

我到厨房靠着门框看她洗头。从另一个角角可以看到敞着门的另一个房间内，她母亲盖着一条大毛巾被躺在铺着凉席的床上。

她的头发很长、很多，当她打香皂搓洗时要离开水池，弯腰站在地当间两手攥着垂下来的头发一缕缕揉搓。我只看得见一头黑瀑布。

“你怎么没去上课？”她边洗边问我。

“老师病了，上午改自习了，我就溜出来了。”我信口说，压根没意识到是撒了个谎。

“你来找过我吗？”

“没有。”这倒是有意掩饰的，“我们最近课程挺紧的，快期末考试了，所以也没时间找你。”

“我还想呢，怎么见了一面人就没影了，是不是又在别处认了姐姐给绊住了。”

她搓完头发，把整头长发往上一掀，一手揪着，露出涨得粉红的脸，直起腰笑着说：“最近没有又认识什么人？”

“听你说的，好像我除了在大街上游逛就不干别的了。”

我主动拿过煤气灶上的水壶说："我帮你冲吧。"

"行啊，兑上点凉水。"她伏到水池前低头等着。

我拎着满满一壶水朝她兜头浇下去，"烫吗？"

"可以。"她指示着方向，"朝这儿浇。"

由于她身材高大，尽管弯着腰，我也要费力用双手把水壶提得很高才够得着，好在随着水的倾出，水壶愈来愈轻。

她像拧床单似的双手握着使劲拧那股又粗又重的头发，然后把头发转出螺纹，朝天辫似的竖起，在额前迅速地盘绕几圈结成一个颇似古代少女头的发髻，整个动作一气呵成，腰肢手臂扭画出灵巧动人的曲线和弧形，令我入迷。

这个累累垂在额前的发髻使她整个形象焕然一新，呈现出一种迥异于所有现代少女的独特魅力，犹如宋瓷和玻璃器皿的不同效果。

"看傻了？"她用湿手在我眼睛上抹了一下。

"你干吗平常不这么梳头呢？多好看。"她用拖把擦弄湿的地擦到我脚下，我往后退了一步。

"那成什么了？你在街上看见有人这么梳头吗？有第一个我就当第二个。"

她擦了一遍地，歪身拄着拖把站在日光投射明晃晃的湿地上朝我笑。

回到她的房间，她把盘成发髻的头发解开披散着以便尽快晾干。她赤脚穿着拖鞋对着镜子往脸上、手上和小臂上涂香脂，整个房间弥漫着馥郁的香气和潮湿的头发味儿。午后的阳光已经有些燠热，她有几分胖，很怕热，便拉上了暗绿色的窗帘。屋内立刻有了一种隐蔽和诡秘的气氛，像戴着墨镜走在街上，既感到几分从容又不由生出几分邪恶。

我为自己把这一单纯的举动引申为含有暗示的诱惑感到羞愧。

她脱鞋上床，靠着床头伸直双腿坐着，使劲扇着手里的纸折扇，尽管这样，仍热得身上出汗，不时用手拽拽贴在身上的领口、袖边。

“这天怎么这么热呀，才几月份。”她嘟嘟囔囔地抱怨。

“你会游泳吗？”

“不会。我怕水，总也学不会。你会吗？”

“哪天表演给你看。”

“那太好了，哪天我落水你就可以救我了。”

我们有一搭没一搭地说着话。我一边看着桌上相片框里的照片，一边拿坐在床上的她比较。我总觉得她和照片有出入，虽然还说不上是判若两人，但总感到有什么东西给斩断了，又有什么东西给强烈突出了。这是一种难以言表的不对位，从五官局部发现的一致更增加那种捉摸不定的感受。这也许是此刻与彼时表情和姿态的不同，或是人眼和相纸还原色彩的差异，以及单一焦点和不停扫描两种不同的处理材料方式造成的，再不就是我前后看到的不是一张照片。

“你还有一张照片呢？”我问，“穿泳装的。”

“没有，我没穿泳装照过。”接着她怀疑，“你什么时候看见过我穿泳装的照片？”

“有，你肯定有一张，也是彩色的，原来摆在你桌上。”

“胡说。”她笑了，以为我和她开玩笑，“以后你给我照吧。”

我请求看她的影集。她不肯，说她没影集。

我坐到她床上继续央求，我没敢离她太近，谨慎地保持和她身体的距离，唯恐这一姿态咄咄逼人，招致她的反感。

“你真要命，有什么好看的，看人还不够？”她下床从抽屉里拿出一本裹着缎面的影集扔给我，自己在桌前坐下，端详着镜子里的自己扇扇子。

我一页页翻看影集，里面的照片全是黑白的，大都是她和家人亲友在风景名胜的留影，衣着平常，神态安详，很多是在强烈的阳光下皱着眉头的，没有一张是刻意修饰和忸怩作态的。

我取下一张她在自家楼前的单人照片，说：“这张送我吧。”

她回头看了一眼，简短地说：“不行，你要我照片干吗？”

我把那张照片揣进上衣兜里，她过来夺，“真的不行，这张我就一张。”

我躲闪着她，像武术家一样拨挡着她向我胸前伸过来的手，“给我张照片怎么啦？”

“不干，还我。”她有些气急败坏，劈胸抓住我衬衣领子，把那张照片从我胸兜里嗖地抽出。

她的力气可真大，她那一推使我一屁股坐回到床上。

“不高兴了？”她笑着问我。

其实我并没生气，只是有些懵然。

“别不高兴，真的。”她胡噜了一下我的头，“你拿女孩照片不好。”

于是我笑，真想为了再让她扭扯我再去抢那张照片。

“送你一支圆珠笔吧。”她在抽屉里翻了翻，找出一杆当时很稀罕的按键式双色圆珠笔递给我。

我满心欢喜地接过来，脸上仍作出很委屈的样子。

她妈妈病恹恹地扶着腰进来，站在门口略有些诧异地望着我。

我一下从床沿站起来，脸刷地红了。

“你欺负人家小孩儿了？”妈妈问她。

“没有，我们闹着玩呢。”她笑着说。

我知道自己这样任其发展下去很危险，每当从她家鬼混出来，我便陷入深深的忧虑，决心以加倍的努力补上荒废的功课。但回到家里就算对着课本坐到深夜，也是以满脑子对她的胡思乱想度过的。她的一颦一笑成了我最孜孜不倦求解的方程式。这种夜以继日的想入非非搞得我身心交瘁，常常睡了一夜起来仍没精打采。由于无力驾驭，最后我必然放纵地对待自己，而且立刻体会到任性的巨大快乐。

我宿命地对待那场即将到来的考试。

我几乎天天都到米兰家和她相会。我把她总是挂在脸上的微笑视作深得她欢心的信号，因而格外喋喋不休、眉飞色舞。我们谈苏俄文学，谈流行的外国民歌二百首。为了显示我的不凡，我还经常吹嘘自己和我的那伙狐朋狗友干的荒唐事。我把别人干的很多事都安在自己头上，经过夸大和渲染娓娓道出，以博得她解颐一笑。我唯一感到遗憾的是，我已经是那么个和我年龄不相称的胆大妄为的强盗，她竟从不以惊愕来为我喝彩。要知道这些事在十年后也曾令所有的正派人震悚。

那段时间，是我一生中纵情大笑次数最多的时候，我这张脸上的一些皱纹就是那时候笑出来的。

有时候，我们也会相对无话，她很少谈自己，而我又像一个没经验的年轻教师，一堂课的内容十分钟便一股脑打机枪似的说光了。

她便凝视我，用那种锥子般锐利和幽潭般深邃的目光直盯着我的双眼看进去。常常看得我话到了嘴边又溶解了，傻笑着不知所措。我也试图用同样的目光回敬她，那时我们的对视便成了一种意志的较量，十有八九是我被看毛了，垂下眼睛。直到如今，我颇擅风情也具备了相当的控制能力，但仍不能习惯受到凝视。过于专注的凝视常使我对自己产生怀疑，那里面总包含着过于复杂的情感。即便是毫无用心的极为清澈的一眼，也会使受注视者不安乃至自省，这就破坏了默契。我认为这属于一种冒犯。

她很满意自己眼睛的威力，这在她似乎是一种对自己魅力的磨砺，同时也不妨说她用自己的视线贬低了我。

我就那么可怜巴巴地坐着，不敢说话也不敢正眼瞧她，期待着她以温馨的一笑解脱我的窘境。有时她会这样，更多的时候她的目光会转为沉思，沉溺在个人的遐想中久久出神。这时我就会感到受了遗弃，感到自己的多余。如果我当时多少成熟一些，我会知趣地走开，可是我是如此珍视和她相处的每分每秒，根本就没想过主动离去。

为了使我有更充分的理由出入她家，我甚至抛弃对成年人的偏见，去讨好她的父母。我认真地作出一副乖巧的嘴脸，表现一些天真的羞涩的腼腆。我尽力显得自己比实际年龄还要小，以博取怜爱和慈颜。

至今我也不知道我做得是否成功，那对夫妇始终对我很客气但决不亲近，也许当时他们就看穿了我，一个少年的矫情总是很难做得尽善尽美。

夏天的中午使人慵倦欲睡。有时她同我说着说着就没声了，躺在床上睡着了，手里的扇子盖在脸上或掉在床下。我就坐在桌前听着窗外的蝉鸣随便翻她书架上的书看，尽力不去看她因为睡眠无意裸露出的身体。

那时，我真的把自己想成是她弟弟，和她同居一室，我向往那种纯洁、亲密无间的天然关系，我幻想种种嬉戏、撒娇和彼此依恋、关怀的场面。

我对这个家庭的迷恋到了无以复加的地步。

从我和米兰认识了之后，我几乎腾不出空和哥们儿一起玩了。

我们那次打架带来了一些后果。那个挨打的孩子头上缝了三十多针，他爸爸和派出所的民警很熟，分局来人把汪若海和高晋抓走了，拘留十五天，还传讯了参加那次伤人事件的所有孩子。我因为在别的学校上学，白天不在，得以幸免。

院里知道了这件事后，所有参加这件事的小孩家长在干部大会上被点了名，受到训斥。几乎所有孩子回家都挨了打。许逊和方方跑到外面刷夜去了。有天傍晚，我坐电车回家，看见他们俩在故宫护城河边闲逛。

那些日子的晚上，我们都受到家里的严格管束，不大容易出门了。

于北蓓也在事发的当晚流窜到别处去了。

不久，我们开始期末考试，我凭着悟性和胡诌八扯的本事勉强应付过了语文和政治、历史的考试，而数、理、化三门则只好作弊，抄邻桌同学的卷子。最后也都及格了，有几门还得了高分，这不禁使我对自己的聪明洋洋自得。

考完最后一门课，我就跑到米兰家找她。她家来了个老太太，大概是她姥姥，一口难懂的南方话，说米兰不在，去买菜了。

我背着书包在菜市场里转了一圈，发现她正拎了一网兜鸡蛋和两条带鱼，站在蔬菜柜台前挑茄子和西红柿。

“你还买菜，小家妇似的。”我见了她后笑着对她说。

“小家妇就小家妇呗，不买菜吃什么呢？”她把西红柿放到秤盘上，售货员又故意拿了几个坏的搁上去，翻着白眼说：“这儿卖的西红柿不许挑。”

她也没在意，照样付了钱。

我们走出菜市场，她请我在冷饮柜前喝冰镇汽水。

“我们后天就放暑假了。”

“还是当学生幸福，每年还有两个假。”她吮着汽水瞅着我说。

“不上学了，我就不一定能天天来了。”

“你打算上哪儿玩去？”

我对她没有流露丝毫对我不能天天来的遗憾感到失望。

“哪儿也不去，游泳，打篮球。”我喝完了一瓶汽水，玩着吸管。

她的瓶子里还剩了多一半黄澄澄的汽水。

“我的假条也快满了，又该去上班了。”她似乎有些忧郁。

“你到我们那儿去玩吧。”我兴致勃勃地邀请她，又对她吹了通我们院的好玩和我的朋友们的有趣。

“我才不想认识你们那些小坏孩儿呢。”她笑着说。

“你来吧。”我求她，“你不想认识他们就说是找我的。真的我们院就跟公园似的，哎，可以照相。”我眼睛一亮。

她笑了，“再说吧。”还了汽水瓶子，拿了押金往家走。

我跟她到灼热的太阳地，“别再说呀，到时候都不好联系了——说准喽！”

“好吧，你说哪天吧。”她含笑应允。

前面走过来两个我们班同学，我连忙从她身边躲开，假装和她不认识。

回到院里，还不到中午两点。院里鸦雀无声，各家各户都在午睡。

我看到卫宁穿着拖鞋从他家门内出来，穿过殿门沿着游廊急急往后院奔。

我叫他。他脚步不停地对我说："高晋和汪若海回来了。"

我连忙跟上他，一同来到高晋家，所有哥们儿都在，正怀着浓厚兴趣听高晋吹他在看守所的表现："我们那号里关的净是打架的，就一个倒粮票的一个杆儿犯，叫我们挤对惨了……"

高晋在看守所里剃了个秃子，这时也就长出一层青茬儿，虎头虎脑的引人发噱，表情、架势则完全是个大英雄。

他坐在三屉桌上，两腿晃荡着，把烟灰撣得到处都是。

"汪若海我算是知道他了，忒雏儿，一进去就全抵了。要不是他我根本折不了。"

"真该抽丫的，为他的事儿……"高洋愤愤地说。

"算了，一个院的。"高晋宽容地说，"以后不跟他过事完了。"

"你进去挨打了吗？"卫宁问。

"敢！"高晋一瞪眼，"警察对我都特客气。我一进去就跟他们说：'你们要打我，我就头撞墙死给你们看'。把他们全吓住了。"

高晋一支烟抽完，大家纷纷把自己的烟掏出来给他抽。

我也顺势想从许逊的烟盒里抽一支，遭到他的训斥："你老蹭烟，从没见你买过。"

我觉得他们刷了两天两夜后，一个个都变得有点蛮横了。

"有什么呀，回头我还你一盒。"我不甘示弱，坚持从许逊手里拿根烟点上。心里直打鼓，生怕他和我翻脸。

"你最近都干吗了？怎么老没见？"高洋问我。

"找不着你们，自个玩来着。"我做出一副独行侠的样子，"明儿我给你们约了个‘圈子’，刚在西单商场拍的。”

其实我把米兰称为“圈子”，并无这一蔑称本身所包含的污辱意思，仅仅是当做女性第三人称的代称。当时没有什么更多更中听的女性称谓，我要不叫她“女同志”，就只好干巴巴地称为“那女的”。

大家的注意力和兴趣点果然转移到我身上，我也一跃成为在这段时期内有所作为的好汉。

我要不想被人当做只知听话按大人的吩咐行事的好孩子，就必须显示出标志着成熟的成年男子的能力：在格斗中表现勇猛和对异性有不可抗拒的感召力。必要的话，只得弄虚作假。

我在院门口等米兰时，虚荣心得到了极大的满足。朋友们毫不怀疑我是用通常的方式结识并控制了这个“圈子”。

我焦急地等待院里下午上班的班车尽快开走，我可不想让我父亲看到我居然和女人有了勾搭。

班车准时开走了。我变得有恃无恐，神气活现地站在大门口伸着脖子张望。我甚至希望过路的院里同龄女孩子留下来观看我和一个那么高大美丽的女人的约会。

约定的时间过了二十分钟，她才在胡同另一端我完全没有料到的方向出现。当时我已经在胡思乱想，把种种意外、天灾人祸都考虑到了，陪我在门口等的卫宁也嘲笑我被“涮”了。这时我看到她，一个箭步蹿到大门中央，高举起右臂像欧美港口城市常见的什么女神矗立在那里。

她过了一会儿才发现我，笔直地向我这边走来。我放下手臂心情复杂地望着她：我本来期待着她有一个光辉夺目的再现，起码也应该浓妆艳抹，花枝招展，给我的朋友们一个不亚于我初瞻其风采的同样倾倒才够味儿。可她完全没有体察我的苦心，随随便便在我看来穿得乱七八糟就来了，而且既没打伞也没戴墨镜，一路暴晒脸红得像个煮熟的螃蟹姿色大打折扣——叫我怎么拿得出手？

真不喜欢她这么普通，效果全没了。

她走近我，脸上露出笑容，“抱歉，我是准时到的，可迷了路，你们这儿的胡同真够难找的。”

我挑剔地看着她，一点没显出热情，冷淡地给她介绍卫宁。

“你好。”她低头和身材矮小的卫宁握手。

我们俩带着她往院里走，她一路看着园林建筑赞叹，“你们这儿真是挺好看的。”

路上遇见的大人小孩都对我们侧目而视。她浑然不觉，“这院子挺深，住的人还真不少。”

卫宁悄悄对我说：“可以，够飘的。”

“她今天没好好穿。你没见过平时她的样儿，那才飘呢——否则我哪会拍她！”

我们带她到假山，他们全在上面的亭子里抽烟，我发誓他们是看到我们上山后才摆出那么副随意的姿态。

高晋一见米兰就说：“我见过你。”

别人则都是一副倨傲的样子，他们用拼命抽烟和粗野的举止来掩饰自己心中的激动不宁。米兰无论身高还是块头都大我们这帮包括最粗壮的方方一号，坐在我们之间有点像长颈鹿和一群梅花鹿混在一起。

“你是不是和于北蓓一个农场的？”高晋问。

“是。”米兰点头，她似乎有点不愿意提起工作的单位。

“于北蓓跟我们特熟。”高晋说。

"是吗，她认识人挺多的。"米兰微笑着掉脸看假山四周的风景，"这假山够大的，那边还有两个亭子。"

院里冰棍房的冰棍制出来了，卖冰棍的老太太推着冰棍车从山下经过。我下山买了半纸盒小豆冰棍，上来分给大家吃。

许逊、方方打打闹闹，看到那边亭子里有几个小孩在打弹弓仗，便去一人抢了一把弹弓枪，在假山石、树之间互相射着玩，把小孩追得满山跑。

我也到另一个亭子抢了一个小孩的弹弓枪，把他兜里的全部纸弹都搜了出来，领着一帮小孩和许逊、方方展开对攻。

我希望米兰受到朋友们的欣赏，如果他们能产生引诱她的念头我更满意。我也希望米兰能对我的朋友感兴趣，希望他们多交谈，增进了解。我有充分的理由相信我的地位牢不可破，所以我乐得大方一些，潇洒一些，让别人觉得我这人满不在乎。

看到米兰和留在亭子里的高家哥俩从容、饶有兴趣地聊起来我感到欣慰。

一个我麾下的小孩按照战斗的原则伏击了方方，用纸弹击中了他的脸，把他打疼了。方方急了，追上小孩左右开弓扇了两个大耳刮子，小孩被打哭了，弹弓仗也只得中止。

我们几个到另一个亭子里吸烟、喘息。他们看着坐在中间亭子里和高晋、高洋聊天的米兰，轻浮、刻薄地议论："一看就是圈子，屁股都给操圆了。"

我认为他们的评论极不公正，私心觉得连我的感情都给玷污了，可在哥们儿面前是不能为一个女人辩护的，也跟着笑。

"你觉得她好看吗？"许逊问我。

"就那么回事吧。"我仰着脸说。

"这种女的天安门那儿一帮一帮的。"

“咳，我就是觉得她有钱，每次我们去冰室都是她请我。”

“你动了她吗？”

“你想我会闲着吗？”

“哎，赶明儿我发你一个。”许逊拍着我肩膀说，“比这可棒多了，特水。”

米兰在远处笑起来，头向后仰，满面春风，高晋、高洋则一脸坏笑。

隔一会儿，笑声才传过来，他们又在亲热地交谈。

米兰比手画脚说着什么，眼睛四处张望，向我们这边看了一眼，又继续对高晋他们讲。

我忽然感到一阵不安。“咱们过去吧？”我对大家提议。

“过去干吗？多没劲，还不如在这儿坐着。”方方又和许逊打闹起来。他们互相较着膂力，站起来撕掳着到亭子中间，最后方方把许逊胳膊拧到身后，笑着问：“服不服？”

许逊一臂别在身后转着圈地跳着大声喊：“服了服了。”

方方刚松开手，他又反扑上去锁住方方的喉咙，一边喊我：“快上来帮一把。”我把烟叼在嘴里，上前按住方方拼命往后捣的一条胳膊，把他的手腕反拧过来，一边用脚使劲踢他的叉开撑在地上的一只脚。

那只脚终于被我踢松，方方失去平衡，坐了个屁股蹲儿。

我和许逊松开他，撒腿就跑，直奔中间亭子，方方在后面追。

我们笑着跑进中间亭子，方方也追到了。我先告饶：“服了服了，别闹了。”

“弹个锛儿。”

我伸出脑袋让他在额头上狠狠弹了一下，擦着汗在米兰身边笑着坐下看他去追许逊。

他在另一个亭子的石阶前追上许逊，拧得他“哎哟哟”乱叫地押回来。

“跟大家说服了——大声点！”

“服了！”许逊一跳老高。

米兰笑着看我们闹，听到高晋说什么，头往前一凑竖起耳朵：“你说什么？”

“哪天你弹段琵琶给我们听听。”

“行啊。”她坐直说，“哪天我把琵琶背来。”

“你要会拉小提琴就好了，我爸爸他们军文工团就缺小提琴。”

“会弹琵琶不能拉小提琴吗？”卫宁问。

“两回事。”米兰说，“一个是弹拨乐器，一个是弦乐，使弓子。”

“你可别去他爸他们军的文工团。”许逊说，“一去先得叫他爸糟蹋了。”

米兰光笑，高洋就抓住许逊胳膊，问方方：“是不是还得治他？”

许逊跳开逃到一边，“胳膊都拧脱环了。”又对我说，“你说他爸是不是比他们花？”

“没错，花得厉害。”我笑说。

高洋追打许逊，反被许逊一路各种勾拳、摆拳打过来，“来呀，来呀。”

高洋也以各种拳击动作招架，两人花拳绣腿来来往往比画了几个回合，笑着收势凑在一起点烟抽。

高洋手里甩着烟坐回来说：“真花的其实是方方他爸，你爸是不是为作风问题降过级？”

“你算了吧，我爸哪有那本事。”方方说。

“反正我知道你爸两老婆，你在老家还有一个大哥。”

“那卫宁他爸还娶过仨呢，其中一个还是地主的闺女。”

“爸都死了，还说他干吗？”

“死了也得批判那思想啊。”大家笑说。

“你想当兵啊？”我问身边笑吟吟倾听的米兰。

“嗯。”她淡淡地说。

“干吗不考‘战友’呢？”

“我还考总政呢。”

我讨了个没趣儿，讪讪地不吭声了。

“哎，你会弹琵琶，那也一定会弹吉他吧？”许逊冲米兰说。

“那倒行，拨几个和弦伴唱没问题。”

“那我家有把吉他，我拿来你给我们弹首《山楂树》吧。”

“得得，你闹不闹啊？”我说许逊。

“晚上吧。”高晋盯着米兰说，“晚上你别走了，咱们到假山来唱歌。”

“你不能晚上不回家吧？”我问米兰。

“那倒无所谓，我今天出来倒是和家里说了回农场。问题是我晚上不走住哪儿啊？”

“这你放心，我们这儿可有的是地方住。”许逊笑着说，“你愿住谁家都行。”

“那我挑一家吧。”米兰笑。

“就挑我吧。”许逊拍着胸脯，“我那儿凉快。”

大家便笑，米兰也随着笑，给了许逊近乎一个媚眼。

“哎。”她扭头对我说，“你家能洗脸吗？我觉得我脸上特脏，风吹了一下午。”

“你怎么随随便便就说要在我们这儿住？”路上我埋怨她。

“怎么啦？不好吗？”

“当然不好了。”我提高嗓门说。进了家门给她打洗脸水，暖瓶里已没多少热水，我往盆里倒的时候不留神把水碱也倒了进去，“你知道我们这儿都是什么人？”

“我看你们院小孩一个个都挺老实的。”她撩着上面那层干净的水洗脸，攥着香皂骨碌碌滑转，涂了一手香皂沫儿，仔细地搓洗十指，“听你说还以为他们多坏呢。”

“你以为呢，噢，坏非得写在脑门上？”

她不做声，开始洗脸。

“你是不是常在不认识的男的那儿住？”我把我的毛巾递给她时，忍不住讽刺了她一句。

她怔了一下，接过毛巾锐利地看了我一眼，然后擦脸，“你生气了？”

“没有。”我气呼呼地说，“就是觉得……”

我想说她轻浮、贱，又觉得这么说太重了，弄不好会把她得罪了，转而问：

“高晋都跟你聊什么了？”

“没聊什么，就说我想当兵他可以帮我。”

“我怎么不知道你想当兵？你从没跟我说过。怎么头一次见他倒跟他说了？熟得够快的。”

“瞎聊呗，就说起来了。要不干吗？干坐着？这可是你叫我来的，我来了你又不理我，自己和小孩去打弹弓仗，还说呢。”

她这么一说，倒说得我怪舒服的，不禁笑起来，“当着他们的面，我哪好意思跟你多说话呀。”

“那有什么？咱俩也没别的什么关系。”她在窗台上的擦脸油盒子里挑，“哪个是你妈使的？”

我指了一种牌子的雪花膏，她打开盖子嗅了嗅，挖了一指头涂在鼻尖、额头、双颊上。

“其实我也觉得挺没意思的。既然人家说能帮我，我就利用一下他呗。我真是挺想当兵的，从小就想，可惜我们家是地方的，没路子。”

她把星星点点的雪花膏揉开，回头问我：“你说他会帮我吗？”

“会吧。”我说，“只要他爸爸点头，进他们军的文工团应该没问题，回头我再帮你问问——你琵琶弹得怎么样？”

“问题是我琵琶弹得一般。”她笑着转过身来冲我说。

这时，我听到门一响，我爸爸进来了，手提公文包出现在米兰身后。

当时我就脑袋嗡了一下，周身的血像染缸里扔进一块石头密密麻麻溅到脸上。他怎么没到下班时间提前回来了？

米兰诧异地看了我一眼，回过身去看见我爸爸。她也有几分局促，但基本坦然，微笑地向我爸爸问好：“您好，叔叔。”

我结结巴巴地解释，“这是，这是我们老师。”

米兰奇怪地看了我一眼，没说什么。

我爸爸打量了米兰一眼，用那种洞悉一切的沉稳目光看了看我，对米兰说：

“你跟我来一下。”

米兰不解地看了我一眼，我无能为力，她低头跟我爸爸到他的房间去了。

我听到我爸爸房间传出来的隐隐约约的谈话声。父亲的声音很浑厚，一字一板，听上去很有条理和信心；米兰的声音则是低喃、不连贯的，有时蹦出几个清楚的词。

我又羞又急，渐渐萌生出一种难以遏制的愤怒，真想抄起个什么沉重结实的东西扔进去，以惊人的“哐啷”一响和满地粉碎的结果来表达我的感想。当然，同我鼎沸欲喷的情绪恰成鲜明对照的就是我身体的一动不动。

片刻，他们从房间里出来了，两个人都很严肃。

“我走了，叔叔。”米兰彬彬有礼地对父亲说。

父亲点点头，转身回了房间。

我急忙上前小声问开门欲走的米兰：“他跟你说什么了？”

“教育了我一顿。”米兰小声说了一句，匆匆沿着走廊走了。

我回身看到父亲拿了一沓文件从他房内出来，指着我说：“你不要出去，晚上回来我找你谈。”

说罢，他出门走了，又去上班。

我连忙回屋打开窗户叫正走到花园游廊通往后院的瓶形门口的米兰，“哎，哎。”

她回头看见了我，下了游廊踩着长满青苔的土地走过来，站在我窗外探头往屋里瞧：

“你爸爸走了？”

“走了，你进来吗？”

“我可不敢再去你家了。”她吐吐舌头笑说，“你爸真厉害。”

“他跟你厉害了吗？”

“那倒没有，态度还挺和蔼。问我跟你是什么关系，怎么认识的，问我的父母是谁，家住在哪里。”

“我爸爸真讨厌！”我咬牙切齿地说，“你都告诉他了？”

“这有什么好瞒的？”她笑笑又说，“他也是关心你，怕你学坏。”

“你怎么不说是我老师呢？”我埋怨她。

“那哪骗得过去？也不像，再说也没必要骗人。”

“唉。”我在屋里叹气顿脚，“我算是又被他逮住了。”

隔壁邻居的窗户一响，支出一扇玻璃。米兰扭头就走，一指邻家窗户，“有人监听。”

“你去……”我张嘴无声，用手指假山方向。

她点点头，绕过柏树丛消失了。

我也点头，不住地点头，接着在自己家里回过身来。

晚上，吃过饭后，我和父亲做了一次长谈，我主要是聆听，不时被要求解释一下动机而已。本来以为父亲会非难我，孰料他竟意外的态度诚恳，并无疾言厉色，基本属于娓娓动听和循循善诱。他告诫我不要过早交女朋友，年轻的时候应该把精力都用到学习上去。要树立远大理想，要有自己的人生目标，当然这目标不是别的什么，而是当时唯一的：做革命事业的可靠接班人。他表示他和其他很多我不认识的人都对我抱有殷切的期望。似乎他们认定我将来会成为一个了不起的人，而这点在当时我自己一点把握也没有。

我一点也不感动，不是施教者不真诚抑或是这道理没有说服力，而是无法再感动了。类似的话我从不同渠道听过不下一千遍，我起码有一百次到两百次被感动过。这就像一个只会从空箱子往外掏鸭子的魔术师，你不能回回都对他表示惊奇。另外我也不认为过分的吹捧和寄予厚望对一个少年有什么好处，这有强迫一个体弱的人挑重担子的嫌疑，最好的结果也不过是造就一大批野心家和自大狂。

我耐心地等他把那些华丽的辞藻全部用尽，假惺惺地掉了几滴泪，然后带着“好好想一想”的任务上床睡觉去了。

我在床上想了半天怎么在平原地带统率大军与苏军的机械化兵团交战，怎么打坦克，怎么打飞机，怎么掌握战机投入预备队进行战略反攻。当然我的思路怎么也脱不开毛泽东同志的人民战争思想，虽然我当时就怀疑地道战和地雷战能否在现代条件下仍和打鬼子时一样行之有效。

想完激烈的战役，我又设想了一番凯旋而归万众欢腾的场面。除了苏联将军式的一胸脯勋章，我还热切地幻想自己能挂点彩，吊着一只膀子之类的，但决不穿的确良的国防绿，最损也得是一身马裤呢！

之后，我就翻窗户跳出去了。

我走到假山脚下，听到山上亭子里传来轻轻的男声合唱，其间伴有隐隐的吉他弹奏。他们唱的是那个年代很流行的俄国民歌《三套车》，歌词朴素，曲调忧伤。在月朗星疏、四周的山林飒飒作响的深夜，听来使人陡然动情，不禁叹息，无端有遗珠失璧之慨。我至今有所不解：中苏两国的民族经历是那么相似，为什么两国的民歌所传达的精神实质那么不同？我们的民歌总是欢快的，要么就是软绵绵的伤感，偶有悲凉也是乘兴而抒，大概我们的人民个个都是天生的乐观主义者所以如此吧。

我上了亭子，他们又在唱苏联卫国战争时期的歌曲《小路》。他们看到我并没有停下来，管自陶醉地唱，摇头晃脑，面带笑容，每个人的眸子都在夜色中闪闪发光，似乎歌唱使他们的眼睛变成了磷质晶体。

高晋拉我在他身边坐下，示意我加入进去和大家一起唱。米兰坐在我对面，摇晃着身体弹着吉他，也在愉快地唱，用眼睛鼓励我。

他们一支歌接一支歌地唱下去，唱遍了我们熟悉的每一首歌。他们嗓音很粗糙，唱得参差不齐，但那份忘情自有一种动人的感染气氛。

我虽然没开口唱，但心中洋溢着激情，萦回着那一首首歌曲的旋律，如同放声歌唱一样痛快。

我注意到米兰和高晋在歌唱时不断相互注视，但我没有一点嫉妒和不快，同声歌唱使我们每个人眼中都充满深情。

不记得那天夜里说什么了，只留下唱了一夜歌的喜悦印象。从第二天到中午才起床这一事实推断，我们起码唱到凌晨。米兰终究睡在了谁家记不清了，似乎没有导致丝毫的淫秽怀疑和色情想象，从第二天我们之间没有投下任何不信任的阴影可以证实这点。实际上第二天我们再见时她已不在场，也许她根本没住在这儿，赶早班车走了。我恍惚记得我们还在高晋家坐着聊天，喝很苦很浓的茶，米兰困倦不堪地偎坐在藤沙发上，用朦胧却不掩明亮的眼睛瞅我或在场的别人。可这个记忆是不可靠的，场面是真实的，而时间也许不准确，因为她后来屡次到过我们院，我们在高晋家或是方方家有时是在卫宁家都进行过彻夜长聊。

我在游廊上问过高晋，也许是站在那儿看小孩踢足球，“你真打算让米兰到你爸他们军文工团去？”

“我准备帮她这个忙。”他以前所未有的一本正经态度回答我，“我觉得她挺合适的。”

接下来的这段日子，我对事情发生的先后顺序记忆有些混乱，诱发行为的契机也不甚了然，但场面无疑是真实的，虽然十之八九是不完整的。

这场面的地点多数在我们院的各个角落，部分是在大街上，其中仅我记得的有：东单，东四北大街，西四丁字路口，位于北海和中南海两湖之间的文津街。

她在我们院有石头拱券和饰有花纹矛尖的铸铁大门旁的传达

室窗口打电话，旁边站有高晋、卫宁等人，我的位置应该是骑车路过。

她眉飞色舞地对着话筒大声说着什么，咯咯地笑。她的一只手拽着黑色的线绳，倾听对方讲话时无意识地在上面来回抚摸。

她在葡萄架的绿荫下，踮起脚尖够一串累累垂下的紫莹莹的葡萄，摘下尖部的一颗放在两唇间吮咂，鬼鬼祟祟地四下张望。

我处于月亮门连接游廊另一端，正要往我家的那排平房拐。

我们在高高拱起的屋脊顶上，脚踩着泄水横沟，坐在鱼鳞瓦筒上，戴着墨镜坐成一排。

前方是院内大小院落互相衔接、布局工整的重重房脊；右前方有一轮明亮、镶着茸茸毛边的夕阳。

下面广场有两个妇女在吵架，旁边围了一圈稀稀落落的人，有战士和小女孩。

她们的恶毒咒骂断断续续、高一声低一声地传上来。

米兰在嗑瓜子，墨镜遮住了她的一半脸，她显得悠闲、无动于衷。

她背靠着北海桥头新竖起的白栅栏，两手平伸抓住力所能及处的两根栏杆，左脚蹬踩着石台，神态专注地和高晋说话。

高晋离她很近，很有些把她逼着贴到铁栅栏上的劲头。

她头扭向一边，神态茫然，再转过头来却粲然笑了。

白塔极为耀眼、硕大无朋地矗立在她身后一湖碧水另一岸的葱郁的琼岛山上。

还有一些场面含义过于不清，影像模糊，唯有感受突出，我不能肯定确曾发生，也许是出自我的想象的暗怀的愿望。

我和她在雨天的街头行走，撑着一把透光的天蓝塑料伞，伞的周围边沿滴答着如泣如诉的雨水，我的鞋、裤腿都被淋透了，她的小腿和赤裸的脚丫也都湿漉漉的，在阴霾的光线下苍白、光洁如塑料。

我的个子比通常要矮，矮得像个侏儒，紧紧傍着她的腰间走。她的一只手垂搭在我肩头，五指纤细似钩。

我总想抬头看她的脸，可看到的只是透射着日光形成一片淡蓝晕芒的伞穹和银亮的放射开来的不锈钢伞骨，一个浑圆多肉、粉红娇嫩、不停颤动的下巴在整个视野内处于不可逾越的中心位置。

雨天的冰凉至今粘留在我裸露的皮肤上。

剩下的就是一些关乎我个人的记忆：我打开一间空荡无人的房门，蹑手蹑脚在屋里走，拿走压在凉水瓶下的几张小面额钞票。从和钞票压在一起的纸条上写的字看，这钱是母亲留给孩子订奶的。

我大概还偷过一只上海“宝石花”半钢手表，用三十块钱卖给了一个人，到底是谁我忘了。

我那时非常需要钱，我后来再没那么穷过：一文不名，又没有任何收入来源。

我用那些钱请米兰和我的朋友们吃冰激凌。我们不能老让米兰掏腰包，虽然她很乐意，并没有现在一些披金戴银的时髦女孩的小家子气。我在最潦倒的时期确实吃过一段软饭，吃得还挺顺嘴，差点毁了我。但你起码可以知道，我曾付出了多么真挚的努力用那么一种惊险的方式来使自己更有点男子气。

我们那时常吃的只是一种画着冰山的蓝盒冰激凌，现在这种牌子的价廉物美的冰激凌已在市场绝迹。我们都很爱吃西单商场楼上冰室出售的一种碟盛的奶油冰激凌，一球冰激凌浇上厚厚一坨甜奶油，后来我在上海吃到“掼奶油”和那味道很相近。虽然这种奶油冰激凌一直只卖五角钱一份，可对我们来说也不是天天可以享用的。如果能到位于东风市场的“和平西餐厅”去吃上一份拌有水果的冰激凌“三德”和“雪人”，那就是莫大的奢侈了，相当于现在到大饭店吃上一餐日本菜喝上一瓶英国酒洗上一遭芬兰浴。

这个两层楼的西餐馆不久便被一把火烧掉了，几年之后才在金鱼胡同的一排平房里重新开业，后来又拆掉了，在旧址上盖起了“王府饭店”。

我承认，冰激凌可能没窝头重要，但对有的人来说，宁肯不吃窝头饿着肚子也要吃冰激凌。那个时候资产阶级还在国门之外觊觎我们呢。

我对米兰那些日子的印象如此丰富，那么密实，环环相接，丝丝入扣，甚至重叠交织，分隔不开，想来那段时间我们是经常见面的。

为什么我还会有难以排遣的寂寞心情和压抑不住的强烈怀念？

为什么我会如此激动？如此敏感？如此脆弱？平日司空见惯一向无动于衷的风景、世相，乃至树叶的簌响，鸟类的呢喃，一朵云的形状，一枝花的姿态，一个音符，甚或万籁俱寂都会使我深受感动，动辄热泪盈眶。

难道万物突然有灵了吗？

我爸爸和部里的其他一些参谋到山东半岛看地形去了。那时军方除了担心集结在中蒙边境的苏军机械化兵团直捣北京，似乎对来自海上的登陆威胁也很重视。中日淞沪会战时日军杭州湾的登陆和朝鲜战争美军在仁川的登陆都给制定国土防御计划的军事人员留下了深刻印象。另外还有一个重要的心理因素，就是每一个了解近代史的中国人心灵上被我国百年来有海无防的惨痛经历投下的永久阴影。毛主席在新中国成立初期就说过一句著名的话："为了反对帝国主义的侵略，我们一定要建立强大的海军！"几年后我在驻青岛的海军舰队服役时，曾看到山东半岛沿海制高点遍布雷达、火炮、高炮和导弹发射基地。当时用某要人的一句话说就是，"海军三十年来基本上没有形成战斗力。"

现在好多了！

我爸爸的出差使我获得了短暂的自由和解放。

那天是"八一"建军节，食堂会餐，每家都发了餐券。我们一帮孩子也喜洋洋地去会餐，自动集中在几张餐桌周围。桌上备有啤酒和红葡萄酒，菜则是北方军队传统的红烧肘子、四喜丸子、炖黄花鱼什么的。我们和战士、家属一起大吃大喝，不停地干杯。那时我的酒量很小，喝了几口葡萄酒就晕乎乎的，其他人也都脸红脖子粗地吵闹不休。

吃完出来天已经黑了，我记得于北蓓来了，板着脸和高晋说什么事，似乎是为汪若海。她可能是为汪若海抱不平或是汪若海托她说项。汪若海的怯懦行为被揭露后，我们一直不理他。我们从小就崇尚烈士，能容忍一个叛徒生活在我们中间吗？尽管他是向无产阶级专政屈膝，我们唾弃的也仅仅是这种不坚贞的行径，就像新朝尽管也对前朝的降臣委以重任仍毫不留情地把他们统统列入《贰臣传》。

汪若海自然对这种空前的孤立痛苦万分，他被迫和那些更小的孩子一起玩。好几次我们成群结队呼啸出入时，我都看到他领着一帮打弹弓仗的小孩站在一边，远远地用羡慕的眼光看我们。

于北蓓很激动，也许是惺惺惜惺惺，她比我们大两岁，大概更能理解情势所迫和身不由己这两个词。我不知道她是怎么说服高晋的，她说话吐字飞快，我听到了些只言片语，“你们真是……”“太没经过事了……”之类的。

后来，汪若海就来了，怯生生地赔着笑，见面就给每个人发烟。看到一个曾经那么要好的朋友变成这样，我们都有些难为情，想对他亲热点，又不知从何做起，于是都客客气气的。

于北蓓更多地表示出对汪若海的青睐，跟他坐在一起，为他点烟，主动找些高兴的话引他说，甚至公然和他亲热，摸一把拧一下的，有一阵还把胳膊搭在他肩上，搂着他依偎着坐在一起抽烟。

现在看来，这一举止是一个勇敢的姿态。在我的回忆中她的这一形象最鲜明、最不可磨灭。

我发现高晋不在已是下半夜，实际上是当他回来进门，我才想起他走了很长时间。他脸色苍白，形容憔悴，然而一点醉态没有。当时我们的酒都醒了，又饿了，正盘算着去食堂偷点会餐剩下的肉食。汪若海主动请战，最后决定由他和方方摸进去，我和许逊在外接应。高晋没有像平常那样策划指挥一番，而是到里屋闷头躺下，高洋进去和他说话，他对高洋也很不耐烦，粗声粗气地把他轰开了。

几天后我才知道，他那天晚上骑车去了米兰家。他那天也醉了，穿过全城用了几乎一小时骑到了米兰家楼下。我不知道他是怎么找到米兰住的那幢楼的。有一个未经证实的说法是：他从路边第一幢楼开始，一幢楼一幢楼地喊过去。

他在黑漆漆的楼群间放肆地大声呼喊着米兰的名字，响亮、嘶哑的吆喝声在万籁俱寂的深夜里听来十分瘆人，由于久没回应显得凄厉、绝望和近乎病态的执拗。那天夜里很多居民都在睡梦中被这惊心动魄的呼叫惊醒，躺在黑暗的床上心烦意乱。我的一些住在那片楼区的同学在一个月后还对我心有余悸地述说他们在暑假期间一个黑夜的遭遇和感受：他们再次入睡后大都陷入可怖的噩梦之中。

接下来大概就是米兰听到了对她的呼叫，她房间的灯迅速在楼顶层亮了，在黑压压的楼群中这扇蓦然出现的明亮窗户无疑给茫然寻找的高晋提供了一个清晰、准确的方位和坐标。他在那扇窗户下像叫春的野猫一声比一声高地朝上叫着。尽管我知道那姿态非人类所能，但我的想象还是顽固地告诉我：他是两臂撑着上身蹲踞在那里叫唤的。

这叫声像它乍起时那样蓦地消逝了。这意味着米兰披着上衣下楼来了，同她一起下来的还有她的父亲，那位儒雅可敬的先生显然是不请自来。

可以想见，在这种情形下，高晋和米兰不可能再说什么。据高洋可疑的描述，那位父亲并没有严厉地责备高晋，虽然他的行为已构成冒犯和无耻。他请高晋上了楼，还给这个沮丧的少年一支烟让他镇定，而高晋也就抽了，香烟的牌子据称是过滤嘴“中华”。我不知高晋是否表示了歉意,反正他很快从醉态中清醒过来，变得安静了，神态有些委靡不振，肯定会感到难受，我后来看到的脸色苍白和疲惫不堪那时便已经像肝炎病人的黄疸呈现出来。

然后他便掐了烟，一声不吭地走了。

米兰的表现和反应众说纷纭。有人说她自始至终毫无反应，直到事情结束。有人说她开初流露了对高晋的不满和生气，三人上楼进房间后，她便退出了现场，直到高晋走一直待在自己房间没出来。还有一种说法，说她很愤怒，但这愤怒是针对她父亲的。她父亲彬彬有礼的介入被她视为一种不近情理的干涉。她一直冲她父亲叫嚷，试图把高晋带回自己房间照料。我相信并非由于她父亲的阻挡而是出自高晋本人的意愿，他还是走了。

虽然这三种说法不分主次，都有同样有力的证人和很难杜撰的栩栩如生的细节，我还是一下就相信了最后一种说法。没有什么不为人知的证据，而是我觉得当她父亲坐在高晋对面时，她披着一件外衣气呼呼地站在一旁这情景更为合理。

两位当事人从来没有对我透露过有关此事的一个字，就像此事从没发生过或仅仅是个无足轻重的传闻和谣言。当然这件事的真相现在确实变得对任何人都不重要了，他们如果活着也许早把此事忘了。

至今我对高晋和米兰那段昙花一现的关系所达到的真实程度，仍无从猜测。就我所知，米兰最终也没到高晋父亲的部队当文艺兵，两个月后当我们和米兰断绝了来往，他们也没再私下保持联系。年底高晋和高洋就当兵走了。那时他已经有了一个真正的女朋友,是个驻京部队的女兵。再之后,当我们纷纷走向了社会，在人生旅途上各行其道，殊途不同归，即便再次路遇至多也就是一个微笑，一个招手——就像我们之间现在那样。

如果我是米兰，一定要有所择求的话，恐怕我也会选择高晋。他当时确实在我们那群孩子中出类拔萃，个子最高，像混血儿一样漂亮，而且具有不同寻常的阅历，这阅历熏陶出他集明朗、残忍、天真于一身的迷人气质。如果生逢其时，他本来可以像德帕迪厄那样成为令妇女既崇拜又恐惧的电影明星。现在他只不过是千千万万个成功的小商人之一。

当时，确有种种迹象表明他们俩的互相吸引和彼此迅速接近。米兰来到我们院不再先找我，而是直接到高晋家去。有时我甚至都不知道她的到来，偶然串门到高晋家，才发现她来了好半天了，两人正聊得开心。我几乎完全被撇在一边，即使在场也是个龙套的角色，只有坐在一边听的份儿，插嘴便显得挺不知趣，往往把他们谈兴正浓的聊天突然打断，两个人一起友好地微笑着然而神态怔怔地望着我。

他们都挺照顾我。我在场时高晋就不特别多和米兰交谈，巧妙地尽量使话题跟我沾边，以使我加入谈话。有时还主动向我预告，“明天米兰来，你也一起来吧。”

米兰也有意对我另眼相看，坐在高晋家和他聊天时看到我进来，立刻表露出极度的欣慰，这表态常常成为伴随着手舞足蹈的兴高采烈，还要高洋或者高晋本人证明：“特想你，听说你一会儿来特高兴。”

她对我一贯持友爱、亲热的态度，连笑容都是那么始终如一的甜蜜。对高晋则往往不客气，公开嘲笑他过火的豪迈与奔放。为他某一句不慎的言行，认真吵过几次架，生过几次气。有时还指使他跑腿，为她买些她临时想起来要用要吃的东西。

当我和高晋发生争执时，她便坚决地站在我这一边，逼着高晋对我让步。

对这一切，高晋虽然也不满也抱怨甚至不予理睬或消极不执行，但从没真动过火。他的脾气变得柔顺了，连汪若海有时挤对他，他也微笑听着不吭声。

那天，我们去新侨饭店吃饭，米兰和我们在一起。吃完离桌刚要走时，靠门口窗边坐着一桌大汉中的一个招手叫米兰过去。那是一个著名的属于“老泡”一级的“顽主”和他那同样著名的一伙。此人在北京以好勇斗狠声闻九城，事迹近乎传奇，很多名噪一时的强徒都栽在他手里。从“文化大革命”一开始就崭露头角，“玩”了近十年，长胜不衰，令我们这些小坏蛋十分敬畏。

我没想到米兰居然和他认识，而看样子还很熟。她过去站着和那人说话。那人坐着，岿然不动，面无表情，仅嘴皮嚅动，似乎在问米兰什么。米兰回答时板着脸，眼神凛然。他们说了几句，米兰便傲然离去。那人脸色灰暗，低头不语。

我们正要走，他忽然又抬头伸出中指指高晋，“你，过来。”

当时我们便一起站住，各个心里紧张起来。

米兰已走到门口，又转回来，冲那人喊：“你要干吗？”

那人没理米兰，再次叫高晋：“你过来。”

“你别理他。”米兰对高晋说。

“去，滚一边去，臭圈子！”那桌中的另一人粗鲁地骂。

我至今难忘米兰遇辱不羞的坦然面容，那是我们很多男人都很难做到的。

高晋也很镇定，唯一可以看出他心中不平静的就是他双目炯炯。他向那桌人走去。犹如被一根线扯着，我们几个也跟了过去。西部片中坐在小酒馆里默默饮酒的带枪牛仔眼中一下认出了那种目光。

当时每一秒都可能骤然爆发一场血腥的斗殴，一个眼神就会引发不顾一切的大打出手。那时我们已经习惯于出门携带菜刀和军刺了。装着凶器的军用挎包就吊在我们脖子上，带子缩得很短，位置正在胸前，瞬间便可以抽出砍杀。方方已经把手伸进挎包内了。

旁边几桌吃饭的男女纷纷转过头来紧张地盯着我们，餐厅里一下安静下来。

高晋大概还认识那桌中的一个人，他和那人点头打了个招呼。

“你叫高晋？”那人冷冷地扫了高晋一眼，声音平淡地问。

“是。”高晋不卑不亢。

“米兰你现在带着呢？”

高晋没回答，只是盯着那人。

这时，邻桌过来一个既和我们认识也和那伙人熟识的小个儿，满脸堆笑对高晋和那人说：“怎么，你们还不认识吗？我给你们介绍一下……”

“这没你事。”那人不客气地说，挥挥手，像轰一只苍蝇。

小个儿没再多说一句话，回到自己坐的那桌，喝着啤酒愤愤地看着这边。

“没事，就是问问。”那人把嘴上燃着的烟拿下来，一手去端酒杯说。

“没事我们就走了。”

“噢，再见啊。”那人抬起夹着烟的手致意，他和同桌人继续刚才聊的话题。

他始终没看我们其他人一眼。

餐厅里又恢复了热闹、嘈杂的气氛。

我们脸红扑扑地走出餐厅转门，米兰正站在台阶上出神，转身神情冷漠地看了我们一眼。

十几年后，也就是我写完这部小说后不久，我在一次朋友请客的宴席上又见到这人。他如今已是一家什么都干的大国营公司的副总裁，人胖了三圈，西服笔挺，还戴了近视眼镜。整个吃饭的过程中数他话多嘻嘻哈哈，俨然活宝，跟服务小姐也开玩笑。

他对我提起的这段往昔小插曲完全记不得了，说这种事经得太多了。我又问他米兰，他避而不答，顾左右而言他：

“多有名，传得越厉害的人我都不憷，再狂我也敢铲他。就怕那十六七的生瓜蛋子！”

“你丫够肥的。”我打量着身穿泳衣的米兰说。

“是不是腰特显粗？”她刚从女更衣室出来，除了脚丫沾了消毒液湿淋淋的，周身皮肤都很干燥，站在幽暗的游泳馆内仍白得晃眼，像头刮得干干净净的大白猪。游泳池边已经有些人在跳水，身体溅入池水在高大的馆内发出响亮、空旷的回音。

“何止是腰，您瞧您那肚子，您那膀子。”我伸手在她肩背处狠心地捏起厚厚一把，“再瞧您这背——够出口的了。”

她躲开我，笑着说：“肉是多了点——你说我穿这游泳衣好看吗？是不是太暴露了？”

她拽拽游泳衣的肩带，低头看看自己，两脚并拢笔直站着笑吟吟地望着我等待评价。她穿了件那时罕见的红色尼龙游泳衣，曲线毕露，应该说很动人，可我说：

“傻子似的。”

“你就不会说句好话？”她笑着白我一眼，撇下我，迎向正“哗哗”蹚着凹池中的消毒水从男更衣室出来的高晋。

他们俩说说笑笑向游泳池边走去。从后面看，他们俩高矮相当，一个宽肩窄臀，一个体态丰腴，像广告中的情侣一样般配。

许逊、方方等人也蹚着水陆续从更衣室里出来。许逊问我：

“你怎么不下水游？”

“你瞧米兰。”我用恶毒的目光盯着娉娉婷婷地往前走、在一池碧水的游泳池白瓷砖边沿站住的米兰。不知是游泳衣就那么设计的还是她体形的关系，她像刚经过翻腾动作的体操运动员紧紧夹着的那块三角布，两侧各垂下沉甸甸的婴儿脸蛋般的一坨。

高晋已经坐下，手撑着池边两腿伸进水里划动，仰头和米兰说话。

“体形真难看，跟生过孩子似的。”

大家笑，纷纷往游泳池走去。

我不依不饶兀自恨恨地说：“一脱了衣服就现了。”

高晋“哗啦”入水，摆动两臂在清澈透明的水中像条鱼似的摇头摆尾轻快地向对岸游去。他在什刹海少年体校游泳班训练过，游泳姿态无懈可击，在整个游泳馆里正在游的人中也是出众的。

我从另一侧扶梯慢慢下到水中。那时我刚学会游泳，只会一种姿势：蛙泳。而且极不标准，不会入水换气，只能像鹅那样仰着脖子游。我想起自己对米兰的吹嘘，只好尽可能在游时避开她的视线。

游泳池里来回横渡的人很多，我常常要踩着水等面前的人游过去再继续笨拙地前进。

米兰坐在池边两手支撑耸着双肩专注地看池中来回游动的人。高晋踩着水抹着脸上的水挥手叫她下来，她笑着摇头拒绝。高晋游到池边拽着她一只手把她拉进水中，溅起一片水花儿。我在远处缓缓游动着都听到一声清脆的尖叫。

当我吃力地溯水游转回来的时候，看到米兰在水中搂着高晋的脖子，笑叫着讨饶，高晋带着她向水深处游去，两手划着水，身子一耸一耸的。

他解开环绕着他脖子的米兰的胳膊，米兰沉入水中。我手扒着马赛克池槽，泡在一群小女孩中间喘息着向对岸望去。

米兰浑身湿淋淋的，撅着屁股往岸上爬，浸了水的游泳衣格外鲜艳。高晋在下面托了她一把，她才在池边转身坐定，湿漉漉的头发贴在头上，大口喘着气笑。

她在放声笑，嘴巴像个大瓦数的扬声器。

他们都聚在那一带池中玩，打水仗，互相灌来灌去，站在岸边倒栽葱式的跳水。

高洋和方方到池的顶端跳水台上燕式入水，比赛自由泳，激起一路水花。米兰等人真诚地为他们鼓掌喝彩。

我为他们没注意到我的缺席深感痛心。

我离岸向他们游去，当接近池边时改为仰泳，这种仰式蛙泳我掌握得还算好，不致太露怯。

我游到池边翻身立起时，坐在池边的一排人正笑着一起扭头看许逊和方方在水中的打闹，他们击起的水花溅到我脸上。

“我游了差不多十圈。”我对汪若海说。

“是嘛。”他眼睛不离纠缠在一起的许逊、方方笑说。

“你游得挺好的，我看见了。”米兰弯腰对我说。

我没理她，贴着池边游到中间的扶梯上岸，光着脚“啪嗒啪嗒”地向他们身后走过去。

高晋附着米兰耳朵说什么，米兰边听边点头。一束许逊击起的水柱射到坐在池边的人身上，她向高晋肩头躲了一下。

我走到她身后，一脚把她踹进水里，站在那儿哈哈大笑。

她猝不及防，张开着手跌入池中，笔直地灭顶消失在水下，长长的头发水草般地在水面漂浮四散。

她闭着眼，大张着嘴吐着水从水下钻出来，头发迅速熨帖光滑地顺颈披下，一手抹着脸上的水，一手抓住高晋伸出的手。

高晋一倾身把她拉上岸。

她喘过气来便站在岸上大笑，对我说：“你真坏。”

我厌恶地看了眼她那副水淋淋、皱巴巴的嘴脸，带着一脸冷笑走到一边坐在汪若海身边。

正在微笑的高晋奇怪地看了我一眼。

我感到现在要如实描述我当时的真情实感十分困难，因为我现在和那时是那么不同的两个人。记忆中的事实很清楚，毋庸置疑，但如今支配我行为的价值观使我对这记忆产生深刻的抵触。强烈感到这记忆中的行为不合理、荒谬，因而似乎并不真实。我习惯于从逻辑上贬斥与我所奉准则不同的人，藐视一切非我族类者的蹊跷存在，总认为他们是不健全、堕入乖戾的人。如此这般，当我面对我自己原先那个貌合神离的形象运笔时，我感到一种强制性的扭曲，需要付出极大的令人不快的毅力才能保持住真实，就像骑着一匹劣马踩着铁道线上的枕木行走。

我对米兰说话的措辞愈来愈尖刻，常常搞得她很难堪。她在我眼里再也没有当初那种光彩照人的风姿。我发现了她脸上的斑点、皱纹、痣疣和一些浓重的汗毛。她的颞侧有一个甘草片大小的凹坑，唇角有一道小疤痕；她的额头很窄凹凸不平地鼓出像一个猩猩的额头，这窄额头与她肥厚的下巴恰成对比，使她看上去脸像猫一样短。她的鼻子正面看很直，很挺拔，但从侧面看则被过于饱满的脸颊遮住多半，加上前翘的下巴和突出的额头整个是个月牙脸。另外她的腰身过粗，若不是胸部高耸如同怀了三个月孩子的肚子便要和胸部一样高了。与她沉重的上身比，她的两腿像赛马一样细，却又没那么长而矫健。这使她徐步而行时给人一种不胜负担之感，像发胖的中年妇女一样臃肿、迟缓。再有就是她的笑，微笑时尚属可人，一旦放声大笑，那嗓音就有一种尖利、沙哑和说不出的娇揉造作，浪声浪气，像那种抽烟嗜酒的卖笑妇人的抖骚，令人浑身起鸡皮疙瘩。她的眼睛也很不老实，虽然从外观上无可非议，但里面活跃跳动无一不是娇媚，甚至对桌椅板凳也不放过。一言以蔽之：纯粹一副贱相！

我知道我可能有点感情用事，我也曾试图客观地看待她，但我愈仔细端详她，这些缺陷和瑕疵便愈触目惊心。

我甚至能闻到她腌臢的嘴中呼出的热烘烘的口臭和身上汗酸味儿。有一阵，我还怀疑她有狐臭，这个怀疑由于太凭空无据我不久也放弃了。但我有确凿的证据认定她有脚气，她夏天赤脚穿凉鞋，脚趾间和足后跟布满鳞状蜕皮。

叫人恶心。

我再也不能容忍这个丑陋、下流的女人，她也越来越不能容忍我。

我除了背后对她进行诋毁和中伤，当面也越来越频繁地对她进行人身攻击。我嘲笑她的趣味，她的打扮，她的偏爱清淡菜肴的饮食口味也成了我取笑她的借口。

“你怎么吃这么多？跟头猪似的！”她吃得多时我这么说。

“你怎么吃这么少？装什么秀气！”她吃得少时我如此道。

我们一见面就吵，舌枪唇剑，极尽揶揄挖苦之能事。先还甭管说什么脸上都挂着笑，后来越吵两人越发急，脸也变了色，吵完半天还悻悻不已彼此用轻蔑的眼光看对方。

我比以往更加强烈地想念她。每天一睁眼的第一个念头就是立刻见到她，每次刚分手就又马上想转身找她接着吵，恶毒地辱骂她、诅咒她已成了我每天最快乐的事。当我入睡时，这些溅着毒汁的话语仍一同进入我的梦境。我脑子里简直装不进任何其他的东西，只有塞得满满的猥亵形容和凶狠詈骂，更多的闻所未闻和骇人听闻的淫词秽语还在源源不断络绎不绝地昼夜涌入我的脑海。我从来没像那个时候那么充满灵感，思如泉涌。我觉得自己忽然开了窍或曰通了灵，呆板、枯燥、互不相关的方块字在我眼里一个个都生动了起来，活泼了起来，可以产生极丰富、无穷无尽的变化，紧紧围绕着我，依附着我，任我随心所欲，活学活用装配成致人死命的利器，矛头对人准确掷出，枪枪中的。那时我要写小说，恐怕早出名了。

有时我夜里忽然想起一个新巧的骂人话，便一骨碌爬起来，直奔高晋家，找着米兰便对她使用。

我笑眯眯地问她："你中学毕业干吗非得去农场不考技校呢？"

她警惕地看着我，知道我居心叵测，可又一时不知圈套设在何处，便反问我："我干吗要考技校？上了技校也不过是进工厂。"

"不，你上了技校不就可以接着进技（妓）院了吗？"

我邀请她和我一起做个游戏。她怕上当起初不肯。我就对她说这个游戏是测试一个姑娘是不是处女，她不敢做就是心虚。

于是她同意做这个游戏。我告诉她这个游戏是我问她一些问题，由她回答，不是处女的姑娘在回答中会把话说露。规则是我指缝间夹着一个硬币，每次必须先把硬币抽出来再回答问题。

然后我把一个五分硬币夹在食指和中指间问她第一个问题："你今年多大了？"

她抽出硬币告诉了我。

接着我问她第二个问题："你和第一个男朋友认识的时候你有多大？"

她也告诉了我，神态开始轻松。

这时我把硬币夹紧问她第三个问题："你和第一个男人睡觉时

他都说了些什么？”

她抽硬币，因我用力夹紧，她无论如何拔不出来，便道：“你夹那么紧，我哪拔得出来。”

旁听的人哄然大笑。

那天，我刚捉弄完她，把她气哭了，出了高晋家洋洋得意地在游廊上走。她从后面追上来，眼睛红红的，连鼻尖也是红的，一把揪住我，质问我：

“你干吗没事老挤对我？你什么意思？”

“放手，别碰我。”我整整被她弄歪的领口，对她道，“没什么意思，好玩，开玩笑。”

“有你这么开玩笑的吗，你那是开玩笑吗？”

“怎么不是开玩笑？你也忒不经逗了吧？开玩笑也急，没劲，真没劲。”

“你的玩笑都是伤人的。”

“我伤你哪儿？胳膊还是腿？伤人？你还有地方怕伤？你早成铁打的了，我这几句话连给你挠痒痒都算不上。”

“我哪点、什么时候、怎么招了你了？惹得你对我这样？”

“没有，你没招我，都挺好。”我把脸扭向一边。

“可你对我就不像以前那么好。”

“我对你一向这样！”我冲着她脸气冲冲地说，“以前也一样！”

“不对，以前你不是这样。”她摇头，一双眼睛死死盯着我，“你是不是有点讨厌我？”

“讨厌怎么样？不讨厌又怎么样？”我傲慢地看着她。

“不讨厌我就还来，讨厌我就走。”

“那你走吧，别再来了。”我冷冷地盯着她说，每个字都说得很清楚。

她低头沉默了一会儿，抬眼看着我，小声道："能问句为什么吗？"

"不为什么，就是看见你就烦，就讨厌！"

她用锥子一样的目光盯着我，我既不畏缩也不动摇，坚定地屹立在她面前，不知不觉踮起了脚尖。

她叹了口气，收回目光转身走了。

"你不是不来了吗？怎么又来了？"我一进"莫斯科餐厅"就看到米兰在座，矜持谨慎地微笑着，不由怒上心头，大声朝她道。

那天是我和高晋过生日，大家一起凑钱热闹热闹。我们不同年，但同月同日，都是罗马尼亚前共产党政权的"祖国解放日"那天。

"我叫她来的。"高洋对我说。

"不行，让她走。"我指着米兰对她道，"你丫给我离开这儿——滚！"

大家都劝，"干吗呀，何必呢？"

"你他妈滚不滚？再不滚我扇你！"我说着就要过去，被许逊拦住。

"我还是走吧。"米兰对高晋小声说，拿起搁在桌上的墨镜就要站起来。

高晋按住她，"别走，就坐这儿。"然后看着我温和地说，"让她不走行不行？"

从我和米兰作对以来，无论我怎么挤对米兰，高晋从没说过一句帮米兰腔的话。就是闹急了，也是高洋、卫宁等人解劝，他不置一词。今天是他头一回为米兰说话：

"看在我的面子上……"

“我谁的面子也不看，今天谁护着她，我就跟谁急——她非滚不可！”

我在印象里觉得我那天应该有几分醉态，而实际上，我们刚到餐厅，根本没开始吃呢。我还很少在未醉的状态下那么狂暴、粗野，今后大概喝醉后也不会这样了吧。

后面的事情全发生在一刹那：我把一个瓷烟缸向他们俩掷过去，米兰抬臂一挡，烟缸砸在她手臂上，她哎哟一声，手臂像断了似的垂下来，她捏着痛处离座蹲到一边。我把一个盛满红葡萄酒的瓶子倒攥在手里，整瓶红酒冲盖而出，洇湿了雪白的桌布，顺着我的胳膊肘流了一身，衬衣裤子全染红了。

许逊紧紧抱着我，高洋抱着高晋，方方劈腕夺下我手里的酒瓶子，其他人全插在我和高晋之间两边解劝。

我白着脸咬牙切齿地只说一句话：“我非叉了你！我非叉了你！”

高晋昂着头双目怒睁，可以看到他肩以下的身体在高洋的环抱下奋力挣扎。他一动不动向前伸着头颅很像人民英雄纪念碑浮雕上的一个起义士兵。

有一秒钟，我们两张脸近得几乎可以互相咬着对方了。

…………

现在我的头脑像皎洁的月亮一样清醒，我发现我又在虚构了。开篇时我曾发誓要老实地述说这个故事，还其以真相。我一直以为我是遵循记忆点滴如实地描述，甚至舍弃了一些不可靠的印象，不管它们对情节的连贯和事件的转折有多么大的作用。

可我还是步入了编织和合理推导的惯性运行。我有意无意地忽略了一些细节，同时又夸大、粉饰了另一些情由。我像一个有洁癖的女人情不自禁地把一切擦得锃亮，当我依赖小说这种形式想说点真话时，我便犯了一个根本性的错误：我想说真话的愿望有多强烈，我所受到文字干扰便有多大。我悲哀地发现，从技术上我就无法还原真实。我所使用的每一个词语涵义都超过我想表述的具体感受，即便是最准确的一个形容词，在为我所用时也保留了它对其他事物的含义，就像一个帽子，就算是按照你头的尺寸订制的，也总在你头上留下微小的缝隙。这些缝隙累积起来，便产生了一个巨大的空间，把我和事实本身远远隔开，自成一家天地。我从来没见过像文字这么喜爱自我表现和撒谎成性的东西!

再有一个背叛我的就是我的记忆。它像一个佞臣或女奴一样善于曲意奉承。当我试图追求第一个戏剧效果时，它就把憨厚纯朴的事实打入黑牢，向我贡献了一个美丽妖娆的替身。现在我想起来了，我和米兰第一次认识就是伪造的，我根本就没在马路上遇见过她。实际上，起初的情况是：那天我满怀羞愧地从派出所出来后回了家，而高晋出来后并没有立即离开。他在拘留室里也看到了米兰，也知道米兰认识于北蓓，便在大水车胡同口邀了于北蓓一起等米兰出来，当下就彼此认识了，那天晚上米兰就去了我们院。我后来的印象中米兰站在我们院门口的传达室打电话，正是第二天上午我所目睹的情景。

这个事实的出现，彻底动摇了我的全部故事情节的真实性。也就是说高晋根本不是通过我才见到了他梦寐以求的意中人，而是相反。我与米兰也并没有先于他人的仅止我们二者之间的那段缠绵，这一切纯粹出乎我的想象。唯有一点还没弄清的是：究竟是写作时的即兴想象还是书画界常遇到的那种“古人仿古”?

那个中午，我和卫宁正是受高晋委派，在院门口等米兰的。

那才是我们第一次认识。这也说明了我为什么后来和许逊、方方到另一个亭子去打弹弓仗而没加入谈话，当时我和米兰根本不熟。

我和米兰从来就没熟过！

她总是和高晋在一起，也只有高晋在场我才有机会和她坐在一起聊上几句。她对我当然很友好，我是高晋的小哥们儿嘛。还有于北蓓，我在故事的中间把她遗忘了，而她始终是存在于事实过程之中的。在高晋弃她转而钟情米兰后，她便逐一和我们其他人相好，最后我也沾了一手。那次游廊上的翻脸，实际上是我看到她在我之后又与汪若海在一起，冲她而发的。斯时米兰正在高晋家睡午觉，我还未离开时她便在大家的聊天声中躺在一旁睡着了。

那天在“老莫”过生日吃西餐时，没有发生任何不快。我们喝得很好，聊得很愉快。我和高晋两个寿星轮流和米兰碰杯。如果说米兰对我格外垂青，那大概是唯一的一次，她用那种锥子似的目光频频凝视我。我吃了很多炸猪排、奶油烤杂拌儿和黄油果酱面包，席间妙语连珠，雅谑横生，后来出了餐厅门便吐在栅栏旁的草地上。栅栏那边的动物园象房内，班达拉奈克夫人送的小象“米杜拉”正在几头高大的非洲公象身后摇着尾巴吃草呢……

高晋醉得比我厉害，又吐不出，憋在心里十分难受。下了电车往院里走的那段胡同道是我搀扶的他。他东倒西歪一路语无伦次地说米兰，说他们的关系。那时我才知道他们并不像我以为的那样已经睡了觉。他可怜巴巴地说他好几次已经把米兰脱了，可就是不知道接下来该干什么。他问我，我也没法为他当参谋，我对此也所知甚少，认为那已经很黄色了，不生小孩就是万幸了。再往下想，我不寒而栗。米兰是我在那栋楼里见到的那张照片上的姑娘吗？现在我已失去任何足资证明她们是同一人的证据。她给我的印象的确不同于那张照片。可那照片是真实的吗？难道在这点上我能相信我的记忆吗？为什么我写出的感觉和现在贴在我家门后的那张“三洋”挂历上的少女那么相似？

我何曾有一个字是老实的？

也许那个夏天什么事也没发生。我看到了一个少女，产生了一些惊心动魄的想象。我在这里死去活来，她在那厢一无所知。后来她循着自己轨迹消失了，我为自己增添了一段不堪回首的经历。

怎么办？

这个以真诚的愿望开始述说的故事，经过我巨大、坚忍不拔的努力已变成满纸谎言。我不再敢肯定哪些是真的、确曾发生过的，哪些又是假的、经过偷梁换柱或干脆是凭空捏造的。

要么就此放弃，权当白干，不给你们看了，要么……我可以给你们描述一下我现在的样子（我保证这是真实的，因为我对面墙上就有一面镜子——请相信我）：我坐在北京西郊金钩河畔一栋借来的房子里，外面是阴天，刚下过一场小雨，所以我在大白天也开着灯。楼上正有一些工人在包封阳台，焊枪的火花像熔岩一样从阳台上纷纷落下，他们手中的工具震动着我头顶的楼板。现在是中午十二点，收音机里播着“霞飞”金曲。我一天没吃饭，晚上六点前也没任何希望可以吃上。为写这部小说，我已经在这儿如此熬了两个星期了——你忍心叫我放弃吗？

除非我就此脱离文学这个骗人的行当，否则我还要骗下去，诚实这么一次有何价值？这也等于自毁前程。砸了这个饭碗你叫我怎么过活？我有老婆孩子，还有八十高龄老父。我把我一生最富有开拓精神和创造力的青春年华都献给文学了，重新做人也晚了。我还能有几年？

我现在非常理解那些坚持谎言的人的处境。做个诚实的人真难啊!

好了就这么决定了，忘掉真实吧。我将尽我所能把谎撒圆，撒得好看，要是再有点启迪和教育意义就更好了。

我唯一能为你们做到的诚实就是通知你们：我又要撒谎了。

不需要什么勘误表了吧?

我神情惨然，紧紧攥着搁在裤兜里的刮刀把，我的大腿隔着裤子都能感到刀尖的锋利。

当时是在花园里，正午强烈的阳光像一连串重磅炸弹持续不断地当空爆炸发生灼目的炽光。我记得周围的梨树、桃树和海棠繁花似锦，绮丽绚烂，而常识告诉我，在那个季节，这些花都已谢尽。可是我喜欢那种在鲜艳的花丛中流血死去、辗转挣扎的美丽效果。既然我们已经在大的方面不真实了，这些小的细节也就不必追究了。

我浑身发冷，即便在烤人的阳光下仍禁不住地哆嗦。我那样子一点不像雄赳赳的斗士，倒像是战战兢兢地去挨宰。我早就从狂怒中冷静了下来，心里一阵阵后悔。我干吗非说“叉了他”，说“花了他”同样解恨而且到底安全些。我对朋友们充满怨恨：如果他们多劝会儿，我也就找个台阶自己下来了。可他们见我决心实在很大，便采取了袖手旁观的态度。真不仗义!

我满心不情愿地向站在对面的高晋走去。他比我要镇定些，可同样脸色苍白，紧张地盯着我向他走近，我第一次觉得他的眼睛大得骇人。

我打量着他的身体，犹豫着不知这一刀扎在哪儿。在我最狂乱的时候，我也没真想杀死他。“叉了他”的意思就是在他身上用刀扎出一点血，出血就完了。除非他不给我扎，搏斗，这样只怕下刀的深浅和部位就没法掌握了。

他为什么不转过身把他的屁股给我？

“快点快点，一会儿就有大人来了。”方方在一旁催促。

让他先动手！我忽然冒出了这么个骑士式的念头，由此找到了不出刀和鼓舞勇气的借口。

我站住了。

“你叉我吧，我不会动手的。”高晋鼓励我。他把手从兜里拿出来，垂在腿两旁。

我便哭了，眼泪一下夺眶而出。

他也哭了，朝我叫道：“你叉我呀，叉呀！”

我抬手狠狠抹眼泪，可眼泪总也抹不完，倔强地站在那儿一动不动。

他也狠狠抹眼泪，哭得很凶。

“算了，你们俩和了吧。”大家围上来相劝。

高洋泪汪汪地抱着我肩头连声说：“和了吧和了吧。都是哥们儿，何必呢？”

我和高晋泪眼相对，然后各自伸出手握在一起，大家一拥而上，像女排队员拿了世界冠军后头抵头、互相搭着肩头围成一圈一样喜极而泣。

我从这种亲热的、使人透不过气来的集体拥抱中抬头朝外吐了口痰，又埋头回去抽泣。当时我想：一定要和高晋和在这儿哭的所有人永远做哥们儿！

我和高晋边哭边互诉衷肠，争着抢着表白自己其实多重感情，多讲义气，对朋友之间闹得动了刀子多么痛心。说完哭，哭完说，边哭边说，泣不成声，哭得一塌糊涂，脸都哭脏了。

最后，哭累了，收泪揩脸，肩并着肩往阴凉地方走。

一个小孩从花园跑过，看到我们一群人个个眼睛红红的、悲怆地肩并肩走，好奇地停下，张大嘴怔怔地呆望。

“看什么看！”我怒吼一声，朝小孩踢了一脚，他连滚带爬地跑了。

我很满意这件事的解决方式，既没有流血又保持双方的体面还增进了友谊，我对高晋还有点感激涕零呢。

只有于北蓓曾经调侃过我，“真雏儿，叉人都不敢。”

“你懂鸟，我们是哥们儿！”我轻蔑地斥道。

我和高晋又成了好朋友自不待说，对米兰我也没再继续无礼，见面挺客气，只是但凡我们正聊天时她来了，我便稍待片刻就走，以此表现我的自尊。

大家理解我的心情，也不勉强我。

我开始和于北蓓混在一起。我们常到卫宁家去玩，他也对于北蓓感兴趣。他父亲三年前就死了，母亲是个中学校长，平时很忙，放假也要组织教师学习，有时忙得晚上连家都不回。卫宁的哥哥姐姐都当兵去了，家里只剩他一人，我们便在他家折腾。渐渐地，我、卫宁、汪若海和于北蓓脱离了以高家为中心的那伙人，另成了一个小圈子。

我和于北蓓熟到互相可以动手动脚，但从没来过真格的。我很想，于北蓓老是撩拨我，可总下不了决心果敢地扑上去。常常是什么下流话都说了，最后还是道貌岸然地走了。

连其貌不扬、胆小怯懦的卫宁都把她动了，跑来动员我下手，我再也不能用觉得她“盘儿不靓”、“没兴趣”来搪塞了。

那天晚上，我们半夜一点去东四的“青海餐厅”吃包子。回来走了一身汗，又去澡堂翻窗户进去洗凉水澡。于北蓓非要进去和我们一起洗，当然她不在乎我们也没理由害羞，于是便一起跳了进去。

大家说好了不开手电，黑灯瞎火地在更衣室的隔断两边脱衣服。

我们脱得快，先钻进了浴室，打开淋浴洗起来。一会儿，她也进来了，在外间浴室水声“噼啪”坠地地冲起来。

卫宁隔着墙和她开玩笑，“我们过去了？”

她在那边回答：“过来吧。”

“我们真的过去了？”

“你们就真的过来吧。”

“汪若海，你别偷看呀。”卫宁故意大声叫。

于北蓓也大声说：“要看过来看，看得清楚。”

后来，我们洗完了，鱼贯而出穿过外间浴室去更衣房。她站在黑洞洞的浴室里边的一个正喷着水的龙头下喊：

“谁过来，我就喊抓流氓。”

我们笑着头也不回地走出浴室。我在行进间偷偷觑了一眼，只看到一个苍白的影子，但这已经足以使我心惊肉跳了。

从澡堂出来，卫宁和汪若海走在前面，我和于北蓓走在后面，我对浑身散发着清凉气息的她小声说：

“晚上我去找你。”

她捏了捏我的手，容光焕发地看我一眼。

那天夜里，我一直坐在卫宁家和他们聊天，于北蓓已经进里屋先睡了。熬到四点多，天都快蒙蒙亮了，我才把汪若海熬回家，卫宁也躺在沙发上昏昏欲睡，困得睁不开眼睛。我对他说我也不回家敲门了，就在他这儿忍到天亮。

我关了外屋灯，躺在一张竹躺椅上假寐，直到确信卫宁已经睡着了，才悄悄起身，摸进里屋。

里屋光线昏暗，于北蓓躺在床上的身影很模糊。她也睡着了，微微发出鼾声。

我站在床前看着她一动不动的平静睡相，伸手捅捅她。她翻了个身，睁开眼看了我一眼，“谁呀你是？”

“小点声。”我俯身上前把脸凑近她。

她认出了我，闭上眼往里翻身给我让出个地方，“你怎么才来？聊什么呢那么半天？一直听到外屋叽叽呱呱地笑。”

我上床，扳她的身体，她闭着眼睛翻过身，对我嘟哝，“我困死了，你先让我睡会儿。”

“再睡天就亮了。”我贴着她耳朵小声说。

“那你随便吧，我真是困得睁不开眼。”

她闭着眼睛睡了。

我稍稍懊恼了片刻，又振作起来，上去亲亲她的嘴，她微微一笑。

我动手深入，总不得要领。

“真笨。”她说了一句，伸手到背后解开搭扣，又继续睡去。

我捣鼓半天，终于把她捣鼓得睡不成了，睁眼翻身对我说：“你真烦人。”

我要做进一步努力，她正色道：“这可不行，你才多大就想干这个。”

她傍着我小声教育我：“我要让你呢，你一时痛快，可将来就会恨我一辈子，就该说当初是我腐蚀了你。你还小，还不懂得感情。你将来要结婚，要对得起你将来的妻子——你就摸摸我吧。”

她抓起我按在心口的一只手掌。

那真是我上过的最生动的一堂思想政治工作课。

后来我睡着了，醒来天已大亮，于北蓓悄无声息地靠墙睡着，毛巾被裹在身上。

我下床悄悄溜走，卫宁还没醒，在外屋的沙发上打着呼噜。

我觉得我亏了！每当看到米兰和高晋、高洋他们说说笑笑从假山、游廊和花园走过去盯我一眼或淡淡笑笑，我这吃亏的感觉就格外强烈。

我干吗把和她的关系搞得那么纯洁？我完全有机会在她身上打下我的烙印，可我都干了什么？连手都没拉一下。从和于北蓓共度那一夜起，我便用看待畜生的眼光看待女人。

那时我读了手抄本《曼娜回忆录》，我对人类所有的美好感情充满了蔑视和憎恨。我特别对肉感、美丽的米兰起了勃勃杀机。在我看来她的妖娆充满了邪恶。她是一个可怕的诱惑，一朵盛开的罪恶之花，她的存在就是对道德、秩序的挑衅，是对所有情操高尚的正派公民的一个威胁！

那天我一直跟踪着她。她在高晋家闲坐，我就站在楼上的栏杆柱旁监视着院落的出口。他们一行去“六条”的小饭铺吃饭，我就隐身在饭铺隔壁的副食店里。她和他们在里面吃了很长时间饭，出来又站在街边自行车铺门口说了会儿话，然后看到一辆 24 路公共汽车驶来，她便和他们告别，上了公共汽车走了。

等高晋他们进了胡同，我便从副食店出来，骑上搁在居委会门口的自行车沿着北小街奋力骑去。

在演乐胡同口我追上了那辆公共汽车，然后一直隐在骑车的人群中尾随。

过了“禄米仓”站，我看到她在公共汽车的后排座上坐下。

她和很多人一起在北京站口下了车，然后上了长安街，上了一辆1路公共汽车。

我跟着这辆1路车经过东单、王府井、天安门和西单，看到北京饭店新楼前扒在铁栅栏上看自动门开合的外地人，广场上飘扬的国旗和照相的人群，那时姚锦云还没有驾车冲撞人群，广场上没有设置任何围栏和隔离墩。

我经过电报大楼时，大楼上的自鸣钟正敲十二响；“庆丰包子铺”门前有很多人在排队买包子，“长安戏院”刚散了一场电影，人群拥挤着占了半条马路，人们谈论着西哈努克亲王的风采。那天晴空万里，我一路骑行心旷神怡。

她在“工会大楼”站下了车，沿着林荫道往前走，我放慢骑速，在大街上与她遥遥平行。

她拐进了楼区，我径直骑向木樨地大桥，拐上了三里河路，经过玉渊潭公园门口，从中国科学院大楼下骑过“二机部”，经财政部和中国人民银行总行楼前骑到她家楼前捏闸停住。她正好刚从另一条路到达，进了楼门。

我抽了一支烟，把自行车锁在一家礼堂门口，上了楼，楼内走廊空无一人。

我用万能钥匙捅开了她家的门。经过她父母房间时撩门帘看了一眼，里边没人。

她刚脱了裙子，穿着内衣坐在床边换拖鞋，见到我突然闯进，吃了一惊，都没想起做任何遮掩动作。

我热血沸腾地向她走去，表情异常庄严。

她只来得及短促地叫了一声，就被我一个纵身扑倒在床上。

她使足全身力气和我搏斗，我扭不住她便挥拳向她脸上猛击。她的胸罩带子被我扯断了，半裸着身子，后来她忽然停止了挣扎，忍受着问我：

“你觉得这样有劲吗？”

我没理她，办完了我要干的事站在地上对她说：“你活该！”

然后转身摔门而去。

我带着满足的狞笑在日光强烈的大街上缓缓地骑着车，两只脚像鸭子似的往外撇着，用脚后跟一下下蹬着链条松弛的轮子。

我眼前晃动着她被我打肿的眼睛和嘴唇，以及她蓬乱、像刺猬似的根根竖起的头发。

路上的人都看我。

我回家照镜子，发现脖子上、脸颊上有被她的指甲挠出的血道子，摸上去火烧火燎地疼。

就让她恨我吧，我一边往伤口上涂着红药水一边想，但她会永远记住我的！

那个夏天我还能记住的一件事就是在工人体育场游泳池跳水。

我从来没从高台往下跳过水。我上了十米跳台，往下一看，立刻感到头晕目眩。我顺着梯子下到七米跳台，仍感到下面泳池的如渊深邃和狭小。

我站在五米跳台上，看着一碧如洗的晴空，真想与它融为一体，在它的无垠中消逝，让任何人都无处去觅我的形踪，就像我从来没来过这个世界。会有人为我伤心吗？我伤心地想。

我闭着眼睛往前一跃，两脚猛地悬空，身体无可挽回地坠向水面，“呼”的一声便失聪了，在一片鸦雀无声和万念俱寂中我“砰”

地溅落在水面。水浪以有力的冲击扑打着我，在我全身一朵朵炸开，一股股刀子般锋利的水柱刺入我的鼻腔、耳郭和柔软的腹部，如遭凌迟，顷刻彻底吞没了我，用刺骨的冰凉和无边的柔情接纳了我，拥抱了我。我在清澈透明的池底翻滚、爬行，惊恐地挥臂蹬腿，想摸着、踩着什么坚硬结实的东西，可手足所到之处，皆是一片温情脉脉的空虚。能感到它们沉甸甸、柔韧的存在，可聚散无形，一把抓去，又眼睁睁地看着它们从指缝中泻出、溜走。

阳光投在水底的光环，明晃晃地耀人眼目。

我麻木迟钝地游向岸边。当我撑着池边准备爬上岸时，我看到那个曾挨过我们痛殴的同学穿着游泳裤站在我面前。他抬起一个脚丫踩在我脸上，用力往下一踹，我便摔回池中。

他和几个同伴在岸上来回逡巡，只要我在某处露头，他们便把我踹下去。看得出来，这游戏使他们很开心，很兴奋。每当我狼狈地掉回水里，他们便哈哈大笑，只有我那个同学始终咬牙切齿地盯着我，不断地发出一连串凶狠的咒骂。

他们使的力量越来越猛，我的脸、肩头都被踢红了。我筋疲力尽地在池中游着，接二连三从跳台上跳下来的人不断在我身后左右溅起高高的水花，“扑通”、“扑通”的落水声此伏彼起。

我开始不停地喝水，屡次沉到水下又挣扎着浮出。他们没有一点罢手的样子，看到我总不靠岸，便咋呼着要下水灌我，有几个人已经把腿伸进了池中。

我抽抽搭搭地哭了，边游边绝望地无声饮泣。

你不是一个俗人

一

“是这门吧？”

杨重和马青爬到楼的顶层，转着脑袋看那层的三个门的门牌号码。

杨重伸手按了一下左手那个镶了铁门的人家的门铃，挤眉弄眼调整了一遍表情，两手握着放在裆前，矜持地等待主人应声而出。

“谁呀？”门内一个男人问。

“我。”杨重沉着地用浑厚的声音回答。

木门开了，一个瘦得像眼镜蛇似的男人出现在铁门后，隔着纱网眉眼绰约。

“是关汉雄关老师吗？”杨重伸出脖子探问。

“你们是什么人？”关汉雄关老师冷冷的目光像针一样从细密的纱网眼中透出。

“我们是您的两个崇拜者。”马青挤上前来，脸贴着纱网眉开眼笑地说，“一直都特仰慕您，又怕您忙，不好意思打扰，今儿是实在忍不住了，特来登门拜望。”

“就待一小会儿。”杨重伸出一个指头，“看您一眼，请教几句就走，决不招您烦。”

“怎么知道我在这儿？”关汉雄一边开铁门让二人进一边问。

“去派出所查过，挂号的没您。后来还是我们一个同学告诉我们您躲在这儿。”

杨重跨过门槛，等着马青也进来，关汉雄头前走了，才肩并肩亦步亦趋恭恭敬敬跟着往里走。

“本来他不愿意告诉我们的。”马青抢着说，“架不住我们一天到晚总缠着他。都知道您不爱见人……”

“他叫什么名字？”关汉雄进了会客室，径自先在一把皮转椅上坐下，手捏一支烟，昂着头问。

“嗬，您这儿书真多。”马青一进屋就扬着头看满墙满壁的书，啧着嘴问，“这些书您都能背下来吧关老师？”

“他叫什么名字？”关汉雄提高了嗓门。

“于观。”杨重侧屁股坐在一圈矮沙发上，小朋友一样双手托腮仰望关汉雄，“关老师您千万别责怪他，真不怨他，怪我们想见您的心情太迫切。”

“他说他和您特熟，经常一起喝酒。”马青挨着杨重坐下，眼巴巴地问，“您最近又写什么呢？”

“不认识这个人。”关汉雄兀自摇头思忖，“没印象。现在净有人冒充跟我熟，其实压根没见过——社会上有些人就爱乱传我。”

“没错！”马青热情地接道，“我们那儿一聊名人，就有人说您如何风流如何豪放如何行为古怪——好多传您的话我们都不好向您学呢。”

“徐达非吧？”丁小鲁敲开黑洞洞的筒子楼的一扇房门问。

“是他。”刺目的光线中站着一个一脸憔悴的迟暮美男。

“一眼就认出来了。”丁小鲁暧昧地笑，“我是《影迷报》的记者，我叫丁小鲁。这位是刘美萍，我的一个同事的女儿，也是您的影迷，听说我今天来采访您，非要跟来。”

“来吧来吧，都请进。”徐达非把两位女士让进屋，“屋里太乱，别见笑。”

“您和挂历画报上长得不一样。”刘美萍腼腆地说。

“怎么呢？”徐达非蓦地警惕起来。

“比画精神。”丁小鲁诚恳地讲，“看电影觉得您挺老成的，没想一见人这么年轻。美萍坐呀，干吗站着犯愣？”

“一个大明星就住在这么个小破屋子里？”刘美萍困惑地转过身。

“谁来谁这么说。”徐达非大大咧咧地坐在破藤椅上，一把一把往后捋他那头毛泽东式的长发，“都以为徐达非不定多享受呢，其实……其实我还是个普通人。”.

“可是，可是，怎么也该让您住得宽敞点，先不说和好莱坞的明星比吧——我觉得在演技上您并不比他们差！”

刘美萍跟谁赌气似的撅着嘴一屁股在丁小鲁身边坐下。

“是这样的，小徐——我可以叫您小徐吗？”丁小鲁一本正经地望着徐达非开口道，“我们报社接到许多影迷的来信，询问为什么这几年在银幕上看不见您了。打听您近来在干什么，是不是和女影星一起出国了？”

“还有这么多观众关心我，记着徐达非？”徐达非万分感慨。

“当然，您想象不出您在我们普通观众心目中的分量。”丁小鲁感觉屁股底下硌得慌，抽出一副墨镜，放到一边。

徐达非忽然发起牢骚：“近来干什么？待着呗，打牌、睡觉、养花。为什么看不到徐达非？徐达非没戏了呗。”

“怎么会呢？”丁小鲁似感不解，“您也息影了？”

“哪是徐达非想息影，是那些王八蛋约齐了不用徐达非，徐达非还演什么？”徐达非怒气冲冲，双目喷火。

“嫌您岁数大了？不，我不这么看。我觉得您只要稍稍化点淡妆，依旧光彩照人，按您的实际年龄，您得算保养得好的。”

“说二十也有人信。”刘美萍热烈地说，“我们单位小姑娘一看电影有小生就议论，这小生怎么不让徐达非演？徐达非演准比这个强。阿兰·德龙怎么啦？徐达非不比他差！”

“你这是骂我。”

“我真是诚心夸您。”刘美萍委屈了，“这话又不是我说的，是观众，女观众的集体反映。”

“你拿阿兰·德龙和徐达非比就不对。”丁小鲁也不同意刘美萍，“不是徐达非不比他差，而是他比徐达非根本就不如。”

“那当然我们更爱看徐达非了。”刘美萍很痛快地修正了自己的观点，并解释，“我的意思是说阿兰·德龙那么差的形象都能一部接一部地拍戏，就别说徐达非了。”

“我怎么就只能演英俊小生？”徐达非幽怨地说，“像我现在这腰身、这横肉，演个土匪杀手不行吗？徐达非长得好看了。徐达非就是让这漂亮脸蛋给害了——王八蛋才长得好看呢！”

“关老师，我们都特爱看您的书，您在我们同学中影响特别大，是不是杨重？”马青一脸谀笑。

“在我们同学中，现而今这些学者，问谁谁不知道。唯独一提您，全都点头：噢，他呀。”

“那为什么我那论文集一征订才七本？”

“那是新华书店不识货。昨儿个我们一个同学还四处打听哪儿能买着您的书，他的一个澳洲朋友托他买，瞧，澳洲都嚷嚷动了。”杨重满脸深沉，煞有介事。

“我给您讲个笑话关老师，您姑且一听别太认真。昨天我去女宿舍串门，一进屋就见我们系最傲气的两个女生一人面前摊着本您的书。一边看一边互相赞叹：‘你说他怎么想的？怎么就能写得这么好呢？’”

“确有其事？”

“这我可以作证。前天这俩女生还指着我鼻子骂我一顿：‘你这学生会干部怎么当的？净请些没听说过的名人来作报告，为什么不请关老师？”杨重挪了挪发麻的脚。

“其实你们即便请我，我也不见得会去。”

“我是这么回答的她们：‘你以为关老师跟一般名人一样呢？人家是真正做学问的。’”杨重重又端庄。

“我听说人家外国很多特有名的大作家都不希望自己的书印得太多。有个日本女作家一听说她的书在中国印了四千册，当时跟咱们出版社急了：你们把我当通俗了？”

“关老师，”杨重仿佛忽然开窍，“像你们这种大学者，难得的就是寂寞吧？”

一间花里胡哨，从外边看像个发廊或彩扩冲印店的临街房内，于观正在和一个胖乎乎的、进化得有些不够年头的女同志谈心：

“为什么要跟人家一样呢？我觉得女同志要长就应该长出点自己的特点来，物以稀为贵嘛。你们都眉清目秀，我偏月朦胧鸟朦胧；你们都高低错落，曲线优美，我不妨浑然一体，让你们闹不准谁是谁。我认为你就属于个人特点比较突出的，让人一眼难忘的，很难用漂亮不漂亮这样的俗词来形容……”

冯小刚领着一个长得十分夸张、活脱卡通人物的男子走进来，很严肃地给于观介绍：

“哎，于观，这位是《交际与口才》报记者华远先生，想找你了解一下咱们‘三好协会’的工作情况。”

“好，好，小刚你别走，这位女同志你接着来。”于观起身让座，“华先生这边请。”

“你们刚才说到哪儿了？”冯小刚坐下问。

“不能用漂亮不漂亮判断一个人。”

“噢，刚才一进门看见你，我眼睛就一亮，心想：这个女人不简单。为什么不简单呢？因为……因为……不知道你自己发现没有，你的气质里有一种忧郁的东西。我喜欢忧郁，我这个人也常常忧郁，所以我一见你就……就心驰神往。”

冯小刚自己也豁然开朗地笑了。

于观把华远领进里屋，那几乎只算半间房，堆满过时的壁纸和装饰材料，都是用这间屋开买卖的上个户主倒闭时留下的。小屋勉强可以坐两个人。

“您想了解什么呢？”于观问。

“想请你谈谈你们是怎么想起要成立这个‘三好协会’的？请你解释一下这‘三好’是指哪‘三好’？”

华先生坐正、坐直，拿出笔和笔记本，但仍像屁股底下垫了弹簧似的动弹不停。

“不用紧张，随便谈，”他安慰于观，“发表不发表我还没想好呢。今天只是路过，被刚才那个人死缠硬泡拽了进来。”

“这个，成立‘三好协会’……”于观双眼茫然，接着稳住了神色，口齿也流利了，“‘三好协会’，主要是我们对目前的社会风气十分反感。哎，人和人之间不是互相瞧不起就是互相攻击，一点真诚的感情都没有，哪像是一群人？”

“是，我也对这种现象很有看法。”华先生点头赞同。

“怎么就非得胡撕乱咬？互相说点好话怎么啦？”于观忽然愤怒了，脸红脖子粗地瞪着华先生，质问：“难吗？费事吗？是压根没教过还是都忘了怎么说？一张嘴就阴阳怪气，一张嘴就毒汁四溅！有时我在街上听到穿得那么体面的两个人互相骂出那么难听的话，我就难过，就心疼——都是人民和人民呀！”

于观眼圈由衷地红了，华先生默默不语，肃然起敬。

“于是我就默默地想：咱是文明古国呀，再这么下去就不对了。死后怎么有脸去见咱们那些以道貌岸然著称于世的先人？也愧对子孙，人家将来要查的，到底这优良传统是从哪朝哪代失传的？”

于观看了眼华先生，见他还在听，才又接着往下说，语气由沉痛变得激昂，铿锵顿挫：

“所以我们大家一碰头，觉得不行，不能任其下去，要管，必须管，不顾一切地管！从现在做起，从我做起，让互相吹捧蔚然成风。”

于观脸上现出一片极灿烂夺目的光辉，随之他连忙解释：

“我说的是互相吹捧的褒义，指的是那种祥和的气氛。”

“我懂我懂，很理解。”华先生点头如啄米，“即便是贬义的互相吹捧也比互相谩骂强。”

他极为认真地对于观说：“实话告诉你，我早盼着有个匹夫觉得自个有责任了。”

冯小刚的声音从外屋传进来："有信心了吧？这回不怕谁说长道短了吧？这就对了，走你的路——北在这边。"

"首先是一片好心，其次是各种好话，最好汇成一个刻骨铭心的好梦。瞧，这墙上挂着的就是我们的心声：好梦献给你！"

于观掉头抬手往后墙一指。华先生只顾埋头在本上速记，写了一遭才抬头乱找。

"你们是逮谁捧谁，还是也挑人，单捧有名的？"华先生又问。

"逮谁捧谁！"于观断然道，手同时往下一劈做了个斩钉截铁的手势。

"在这个问题上我们不搞三六九等。你想啊，往往最不值得捧的人最需要捧，这牵涉到一个为什么人的问题。也就是说，凡是群众需要的，就是我们乐意奉送的。"

"那么哪部分群众最需要？"

"这个我们做过市场调查，恐怕最大的潜在顾客还是文艺界人士。他们本人当然很谦虚，相信家属会对我们的工作很支持。"

"那是一定的。"华先生颇有同感，接着补充道，"只要做好宣传工作，很多人都会立即认识到你们这项工作的意义和不可替代性。"

"目前我们还是在试营业，业务尚未全部开展，人员也需要培训，仅仅刚开始了送好话，做好梦下一步开办，正在筹备。"

"请问，顾客要接受你们服务，是不是要预约？还是直接找上门来就接待不问来头？"

华先生的笔脱手掉在地上，他低头满地爬找。

"嗯，目前主要是我们送上门去，打听好住址主动上门服务，顾客往往不知情。这么做的目的一是锻炼队伍二是提高知名度。你晓得一项事业草创阶段总是很难的。"

“懂，懂，任何一家商店刚开张都要大酬宾。还有一个问题：你们从事这项工作……这得算脑力劳动吧？”

“我觉得要算，捧得好捧得巧妙不露痕迹是要倾注很多心血的。”

“那你们收费标准是不是很高？价格根据什么计算出来的？”

“我们不收费。”

“打开销路以后呢？”

“那也不收费，这是在我们成立‘三好协会’之初就决定了的。”

“义务捧人？”

“您想啊，这工作本身是个很容易让人产生误会的工作，我们要是收钱，当下就会让人把我们的高尚行为庸俗化了。再说，要钱干吗？我们都是只爱真理不爱钱的人……”

于观语焉不详，这当口，冯小刚走进来把话接过去：

“我们是没有自己的私利的，这个到哪儿都叫得响。”

“我们过去很多好事办不成，吃亏就吃亏在让人家怀疑我们的目的了。”于观恢复流利，“冯小刚概括得好。”

“可你们完全不收费，维持这个摊子的经费从哪里来？总不能自个掏腰包搭钱捧人吧？”

“我们可以出卖别的，但在原则问题上，我寸步不让。”于观霍然色凛。

二

“喂，头儿，我是马青，下午我和杨重歇了，不回去了。”马青在电话里说，“一上午捧了三家，累坏了。”

“不成。”于观拿着话筒说，“业务学习谁都不能请假，必须回来。”

“我说头儿，你不心疼我总得爱惜一下杨重吧？他昨天起嗓子发炎，现在都说不出话了。”

“冯老师是大忙人，我好容易才把他请来，他的很多经验和知识那是花多少钱也学不到的。这么一个难得的机会你们不珍惜吗？”

“好嘛，我们这就回去。”

“噢，”于观把手上的烟捏灭，“你们回来时路过礼士路，那儿有个长年义务维持交通秩序的老同志，很显眼，你们顺路捧他一道。”

丁小鲁和刘美萍也风尘仆仆地回来了，进门咳嗽、清嗓子，端起水杯咕咚咚喝水。

于观笑呵呵地问她们：“捧得如何？效果还好吗？”

刘美萍放下水杯，喘了口气说：“对象笑了。”

“那就说明摸着脉了。”于观赞许地指出，“就证明没白捧。”

丁小鲁说：“不过笑完是更大的忧郁和期待，离你要求的心花怒放好像还差一点，没出现自吹自擂的症状。”

“我们挑唆了他半天，他还那么谦虚，真烦人。”刘美萍道。

“不会是得意地谦虚吧？”

“不是。”刘美萍说，“得意地谦虚我们能看出来。”

“没关系。”于观勉励她们，“头一回能把对象捧笑了已经很不错了，也真难为你们。这回没捧好下次接着捧，直到捧好。咱们要对用户负责，保质保量，以实际行动迎接品种、效益、质量年。”

“我给你们介绍一下，这位就是冯小刚冯老师。”

大家陆续到齐后，于观拉着冯小刚的手笑吟吟地为大家介绍。

“冯老师是捧人的专家，在捧人方面有很高的造诣，可说是在这个领域做了开创性的工作，世界上也是领先的。”

众人鼓掌，个个脸上一副虔诚的敬意，乱纷纷伸出手：“您好您好！久仰久仰！”

“你们好！”

“冯老师是专科毕业吗？”杨重握着冯小刚的手问。

“冯老师是自学成才。”于观替冯小刚回答，“捧人这个专业在我国还属边缘学科，世界多数国家还是空白，因而还没设立专门学校。除了一些有心人其他人简直还懵然无知，虽然它在我们的日常生活中已经得到了广泛的应用。”

“就是说，冯老师是第一个吃螃蟹的人。”杨重朝冯小刚竖起大拇指。

“哪里，我也是站在巨人的肩膀上。”冯小刚害羞地垂下眼睛。

“冯老师请坐。”杨重躬身退开，指给冯小刚一张空位。

“各位老师坐。”冯小刚坐下，立刻又站起来，待大家各自找椅子坐下后，款款开口，“今天我来，不是讲课更不敢侈谈教授，仅仅是和各位切磋，仅仅是，共同探讨一下捧人的发展趋势和应用前景。很难得啊是不是于观？看到这么多年轻人有志于此，冯某十分欣慰，这说明我们的事业是大有希望的。”

冯老师咧嘴笑，大家也跟着纷纷咧开大嘴，只见一屋粉红的口腔。

于观道：“冯先生，我们不过是步您后尘罢了。”

“长江尚且后浪要推前浪，何况尔等？大千世界，各领风骚，今后真要看你们骚了。”

“前人栽树，后人乘凉。”于观也是有名的快嘴，当然不肯让人，“没有种子，哪来姹紫嫣红？”说完脸红红地笑。

“于观于观，你慢点。”丁小鲁道，“今儿咱们是严肃地探讨问题，冯老师还没开讲，你怎么就捧上了？”

“抱歉，”于观惭愧，“我也是一没留神，主要也是想让你们一睹冯老师风采。”

“那不用你说，我们一看冯老师的长相就知道是阿谀奉承之徒。”马青插话道。

“是是，我是贵相。这马青，你别看我跟他不熟，一见就知道这人刚烈，威武不屈，搁古代，不是烈士也是个刺客。”冯老师拿眼睛找马青。

“冯老师真有眼光，看人真准。你看我跟马青混了这么些年，总没看出他有什么优良品质，倒叫冯老师一语道破。要不怎么说人和人不一样呢？”杨重痴笑、感慨。

“你以为哪？我就相信世上有天才，今儿一见冯老师我更坚信我这观点了。”马青甩头跺脚以示坚定。

“我不同意你这把我当天才的观点。其实我就是一个鸡蛋，要没你们这帮人的热乎劲儿，我的小鸡也孵不出来。”冯小刚一本正经。

“可您得先有小鸡啊。您要是块石头，我们就是把您焐烫了，也最多浇上盆水洗桑拿。”马青反驳他。

“行了行了。各位，待会儿散了，我们专门留出时间让大家和冯老师切磋，现在先听理论报告。”

“于观，我都含糊了，你这帮人都是挺粗挺大的蛇，还用我这儿添足吗？”

“我们这都是鲜姜，也就是能拿话麻个人，真正能辣得人家张不开口还得数您。”丁小鲁含笑开口。

“冯老师，您可别刚看我们含苞欲放就由我们长去了，那我们可怨你一辈子。”马青眼珠都斜得看不见了。

“昨儿我们几个还谈呢，要想开得娇艳长得婀娜还真得追一道马老师您这样的著名臭大粪。”刘美萍趁势加上一句，不好意思地朝伙伴们笑。

“捧人在我们国家源远流长，最早见诸文献的就是《诗经》中的‘窈窕淑女，君子好逑’。那个时候欧洲人还大字识不到一筐呢……”冯小刚刚说了几句，就闭了嘴。

“说呀说呀，冯老师，你害什么怕呀？”有人嚷。

“不是，你们这么一个个仰脸瞪着我，弄得我都不自信了。我跟你们说实话吧，我其实不是什么学者，好多话都是自个坐屋里瞎想的。你们这么认真虚心地盯着我听讲，还记笔记，我真怕误了你们这些那什么……子弟。”

“你就放开胆子说，我也给你透个底，在座的都是不读书不看报的，没一个听得出毛病，而且都是青春已然耽误过的。”于观大包大揽地鼓励他，还拍了拍他肩头。

于是冯小刚低了头，犯了多大错误似的嘟嘟哝哝往下讲：

“这个捧人吧，起源于劳动。当时咱们的先民脸朝黄土背朝天，汗珠子掉地摔八瓣儿，每日打食耕种。劳动间歇仰观天地万物，古时候都是原始森林大草原，野兽出没，比现在自然环境壮丽得多，不由发出赞美。由物及人，夸起去河里汲水的妇女。当时捧人还是比较由衷的。主要是捧统治者和妇女。因为这两种人在纺织物还没有发明的时代，是唯一有条件用兽皮和羽毛打扮的。现在你在那些原始部落还可以看到，打扮得最漂亮的是酋长。后来有一天，黄河清了，出了圣人。圣人是什么人呢？就是最早的捧人专家，这你从圣人们流传下来的语录中可以看到，里面全是讲的怎么捧人。在所有人都要干活、打仗的时代，只有圣人是靠捧人吃饭的。所以叫圣人，以区别俗人。”

“为什么允许他光捧人不干活？在那么需要劳动的原始社会？”杨重眨巴眼举手提问。

“这就是我下面要讲的，捧人的社会需要。时代呼唤捧人。随着生产力的发展，部分人先富了起来，不必天天劳动了。吃饱、喝足、玩够、睡醒了后，有点空虚了，有点失落了，开始思考：我是谁？我在这儿干吗呢？这个问题就需要圣人来回答了：你是天之骄子；你是命中注定要比别人优越要比别人有思想有道行要比别人伟大的人上人。第一个圣人就知道如果他要说你是个废物会有什么后果。”说到这儿，冯小刚嘿嘿笑了。

“敢情咱都是圣人之后！”大家面面相觑。

“你以为你们都是小人哪？自轻自贱！”冯小刚骂。

他仰着脸，眼睛望着天，继续嘟哝：

“时代发展到今天，越来越多的人吃饱饭没事干，要求得到精神满足已不是少数人的特权。单靠一两个圣人已无法满足广泛的社会需要。这就需要组织起来，把捧人职业化、专业化。就像警察在现代国家中应运而生，最后变得必不可少一样。我以为，一个国家是否现代，除了看它的工农业发展水平，另一个重要的标志，是它有没有一支职业化的、专业水平相当高的捧人队伍。从这点看，西方很多国家还是相当落后的，填补精神空虚主要方式还是淫乐、吸毒。这点很让我瞧不上。”

这时，冯小刚彻底还了阳，举止从容了，眼睛瞪开：

“就像武术家要讲究武德一样，我们吹捧家也要有良好的捧德。就是说要从最善良、最真诚的愿望出发去吹捧别人。最坏、最不可取的就是明捧暗贬，表面上把人家夸得天花乱坠，心里对人家一百个瞧不上，夹枪带棒，把对象当傻瓜耍。要知道，容忍我们捧他的人，心里都是很苦的，这就像饮酒浇愁，吃药止痛，如果你不是以救死扶伤的革命人道主义去对待他，那无异于落井下石、谋财害命，把自己的欢乐建筑在他人的痛苦之上！”

“冯老师这点谈得太重要了。我早发现在我们的吹捧实践活动中，不同程度地在每个人身上都存在调侃对象的问题。看来这个‘捧德’问题要下大决心抓。”于观对丁小鲁说。

“喜欢耍小聪明调侃别人，那也是一个吹捧家不成熟的表现。一个吹捧家应当心胸开阔，容得下任何令人不快乃至令人发指的现象。在吹捧家的眼中一切都是美好、熠熠生辉的，就像孩子的眼睛。说到底，吹捧家的心地要像孩子一样单纯，善于从丑、恶、司空见惯的一般现象中发现美、鼓吹美，这才是一个吹捧家的责任和使命。”

“冯老师，我有个问题想请教你，要是有人不吃捧怎么办？譬如说，那种光明磊落的汉子。”刘美萍举手。

“送你八个字：锲而不舍，金石可镂。以我多年捧人的经验，没有不吃捧的。首先一条，你捧他，他再不爱听也不会像你骂他那样引出深仇大恨。最多觉得你这人肉麻，灵魂渺小，形象猥琐，他从心里一轻视你，你的工作就完成一半了。捧人的目的是什么？就是使人获得超现实的自我感觉。一个处长是不可能在部长面前获得良好的自我感觉。作为一个优秀的吹捧家最重要的品质就是不惜把自己变成一个可怜虫，一个笨蛋，一个恨不得让人用大耳刮子抽的白痴。同志们哪，这是灵与肉的奉献啊！如果通过我们努力，能使全国人民人人充满尊严、充满骄傲，那么就是我们受到万人唾骂、千夫所指、成为不齿于人类的狗屎堆，也是值得的，也可以笑慰平生。”

“冯老师，你哭了。”刘美萍眼圈也红了。

“我是说着说着就有些激动了。总要有人作出牺牲，总要有人成为别人的垫脚石，总要有人成为历史的罪人，与其残酷斗争，不如让我们这些有觉悟没牵挂的人舍身成仁。为有牺牲多壮志，敢教日月换新天。忽报人间曾伏虎，泪飞顿作倾盆雨。”

“有人不愿意干的，现在还可以退出。”于观立起吼。

无一人做声，大家都望着哭得抬不起头的冯小刚犯愣。

“没有，一个没有。好，让我们几个先从历史中把自己勾掉吧。”于观欣慰地坐下。

下课后，大家都围上了冯小刚，有递茶缸子的，有递手绢的。

马青一百个诚恳地对兀自一想就红眼圈一想泪就扑扑往下掉的冯小刚说：

“冯老师，您真不是骗子，您真是掏心窝子想把这事办成一件好事，这回我信了。”

“不要叫我老师。”

“那叫什么呀？”

“叫先生，或省略一个‘老’字，叫冯师也可以。”冯小刚擦干了泪，吸溜着鼻子对马青说。他拉着马青的手，同样一百个诚恳地说些肺腑之言：

“我怎么能是骗子？平生我最恨的就是骗子。还是那句话：咱们都别看轻了自己。”

刘美萍挤上前来，手里举着个小本，“冯先生，您给我签个名，要那种狂草。”

冯小刚给她一笔一画认真签名时，她又说：“冯先生，今天你真是把我感动了，好久没听过这么好的大道理了。您是真有学问，您讲的那些话好些我都没听懂，好些字都不会写——您是真有学问。”

冯小刚此刻心情也好了，签完名笑着说：“何止你感动我，我都被自个感动了。由衷地佩服我自己：我怎么就能说哭就哭，什么也没想张嘴就来，听着还挺像那么回事——多读书啊这是个秘诀。”

那边，于观正在批评杨重：“大家都在争着向冯先生献媚，你为什么不去？”

杨重指指嗓子，声音嘶哑地说：“说好听的把嗓子说哑了。”

“刚才为难冯先生的时候你怎么那么起劲？到底是真哑假哑？你不用装。”

“恶心，我觉得恶心。”杨重道，“他再怎么说得天花乱坠，难道就不是拍马屁了？”

“我就知道你这人思想上有问题。”于观呵斥他，“是又怎么样？人民养育了你长这么大个，你就拍拍人民的马屁又吃亏多少——不应该吗？”

“我想不通，凭什么呀？”

“想不通也要通！你是举过手赞成的你不要忘了。”

“我就没想到会搞得这么肉麻，这么庸俗。”

“那是你水平不高！我从来就没讲过这是件容易事。要没困难，要我们这些人干吗？”

“我都成什么人了……”杨重嘟哝。

“对，这就是你思想问题的根子，终于自己暴露出来了。你总是想到你自己，你心里总有个小小的自我在作怪，这就使你看问题总是从自我出发，当然很多事你会觉得吃亏。”

这时，刘美萍在那边叫于观，于观应了一声对杨重道：“今天没时间，改天我们再接着谈，你不要因为思想问题影响工作——

我一直很器重你，你不要让我失望。”

于观满面堆笑地高声对大家说：“从今往后冯老师冯先生将要和我们一起工作，大家鼓掌欢迎！”

三

“我吧，是个厨子，我热爱我的工作，可我从小就有个理想，一直没实现，而且现在越来越没指望实现了。这两年岁数大了，日子也好了，不愁吃不愁喝，偏我越来越想着我那早年的理想，想得我是茶饭无心，一夜夜失眠，都影响我全心全意为外国游客服务了，昨儿一锅鱼翅都让我熬成鼻涕汤了。听说您这儿办了好梦一日游，我就兴冲冲来了。”一个瘦小的男人坐在于观对面倾诉。

“那是什么呀你的理想？”

“难，不容易实现，要不我这么些年也就是光想想。”

“搁我们这儿，这没办不到的事，我还敢跟您放这大话。”于观隔桌凑上去，作洗耳恭听状。

“我从小吧，就特羡慕革命烈士，江姐啊，赵一曼啊，当然还有洪常青。打心眼儿里敬佩她们，你不知道我看《红岩》《红色娘子军》时哭成什么样儿。特别是她们就义时，那音乐、那火光，回回我都热血沸腾，至今刑场上的阵阵枪声还回荡在我心头。我恨我生在新社会，没机会跟反动派英勇斗争，没机会为中国人民的解放流血牺牲，喊着‘为了新中国——冲啊！’粉身碎骨。我这想法特过时吧？让您见笑了吧？是，我这人是有点老派。现在有我这想法的人不多了，年轻人都想着怎么发财。”

“我特别理解你，我也是打那时候过来的，满脑子英雄壮举，至今看见坏人行凶想跑就是迈不开步，冲上去就后悔。”

"咱们那时候的人是单纯。"

"您想怎么死啊？是活活烧死还是让我们把您五花大绑拉到郊外毙喽？这没什么难办的。"

"我是这么想的啊，先从被捕开始。就不知道你们有没有、能不能接全活儿？"

"全活儿单项您随便，我们好说。"

"那我就要一全活儿。你们先把我抓起来，然后严刑拷打，上什么刑到时候咱们再商量。最后，我死也不招，把自首书撕得粉碎，你们恼羞成怒，把我绑赴刑场。我是烧死枪毙都要，先烧再毙还要沿途高呼口号，冷笑着——视死如归。"

"没问题，全满足您，您最好再照我脸上吐口带血的唾沫也可以。"

一个五大三粗的黑铁塔似的家伙坐在冯小刚对面瓮声瓮气地说：

"我是一板爷①，十年大刑上来的，你们不歧视我吧？"

"不歧视，您刑满后能自食其力，让人敬重。"

"我既不是佛爷②也不是花贼，那两样我都不行，就好打架。十年前你们要常去东园一带可能听说过我，我是那儿街头一霸。"

"您忘了？我还让您打过呢。我跟您抖忿，您一脚把我踹西边去了。"

"有这事？不记得了，那会儿打的人太多。不说那个了，我现在是规规矩矩，哪儿人多躲着哪儿走。"

---

①人力三轮车工人。

②小偷。

“还得说咱们政府会教育人。”

“是是，至今我感激不尽，那人民民主专政……嘿！知道我年轻的时候为什么好打个架吗？其实我本意不是想当一流氓头儿。”

“您想当佐罗？”

“也不是——我想当将军。统帅大军，冲锋陷阵，驰骋疆场，直到把敌人全歼。”

“好啊，我也巴不得呢。”

“保卫祖国，打击侵略者，维护世界和平，凯旋！会师！总攻——哎哟，想死我了这事！盼了多少年的帝国主义侵略，好容易见着了，来的都是笑嘻嘻的夹着皮包的，打不得骂不得。”

“是啊，我也替您憋屈。不过虽然没有战争，您仍然可以当将军——起码当一天。交给我们吧。您想当几星级将军？”

“五星，当就当最大的。”

“好的，就是一金板上有五颗星对吧？可以。宴会、接见、礼炮，我们会把这一天的日程给您排得满满的。”冯小刚挥笔刷刷记下要点。

“慢！”大汉按住他的手，“我不是想当那种检阅将军。”

“可这不就是将军吗？”

“非也，非也。”大汉摇头微笑，“我不要穿礼服戴大盖帽坐拉窗帘轿车金光闪闪什么的。我单要穿野战服扣钢盔浑身上下屁兜里都塞着手雷，开一敞篷吉普，膝盖上搁一手提机枪，牙咬着雪茄，后边车斗里坐俩中士，招摇过市。”

“噢，名将！”冯小刚恍然大悟。

“对了。”大汉谦逊地低下眼，“没人能一眼看出我是将军，以为我是司务长呢。到一交通岗楼前——假设啊——就被拦住，让我出示证件，态度还很蛮横。我呢，不慌不忙站起来，嘴角挂着一丝微笑，从裤兜里掏出揉成一团的船形帽，轻轻掸去前挡风玻璃上的灰尘，露出五颗星……”

“天哪，那交通警必是大惊失色。”

“当然，你想啊，他能不被吓坏吗？啪地就是一个敬礼。还不能是那种一般的举手礼，得是个浑身使劲五指直扎太阳穴恨不得把大盖帽扎歪自个气得躺下的——礼！”

说着，大汉啪地给冯小刚敬了个礼。

“然后呢？”冯小刚迅速还了个一模一样的礼。

“然后我就一溜烟走了，扬长而去，开军事会议去了。屋里是四星以下的将军，我一进屋，啪地全站起来立正，脸仰到天上，手按着裤线，一动不动！”

“然后呢？”

“然后我就一个手指一个手指地摘白手套，冷冷地打量他们，特别不耐烦地小声对他们说：‘稍息稍息。’”

“都是高级将领，您这么着合适吗？”

“我对军官一向严厉，他们都怕我，当然也是因为我指挥打仗确实厉害，可我对士兵很亲切，一点架子没有，经常拍拍他们肩，握握他们手，好多老兵我都能叫出他们名字来呢。”

“爱兵如子。”

“嗯哼，去安排吧，上尉。”

街道齐大妈拎着一篮子鸡蛋走进来，进门就挨个指着于观们撇着嗓门叫：

“你们几位都听着，我可告诉你们，后天是咱全国文明日，街道布置下了任务了，各单位都要上街载歌载舞，你们这文明专业户更不能落后。”

“没问题，咱这片几条街的热烈气氛都归我们了。”于观笑说。

“齐大妈您坐。”马青搬了个凳子搁在齐大妈臀下，“您站着说话我觉得我没礼貌。这么点小事您还亲自跑一趟，让二丫头招呼一声我亲自去不就完了？”

“我也是顺道买本儿上的鸡蛋拐一趟。”齐大妈没坐，把篮子搁凳子上了。

“您说这齐大妈啊，”冯小刚走过来，“每回见她每回我就纳闷，身子骨怎么就这么硬朗？精神头儿怎么就这儿健旺？风吹雨打全不怕——我羡慕你！”

“嗨，还不是打小吃苦，摔打的。”齐大妈笑得皱纹模糊了眉眼。

“要说人有活一百八十岁的——我信。”冯小刚还说。

“可不，搁咱们国家这叫寿星，搁港台齐大妈就是人瑞了。”于观也帮腔。

“得了小哥儿几个，留点好话文明日街上说去，大妈这已经没少听蹭了。”

齐大妈美颠颠地拎了篮子颤巍巍往外走。

大家一起躬身送。

“还不是应该的？让我们说假话可不会。”

齐大妈前脚走，大家立刻散开归位，接着刚才被打断的继续和顾客娓娓而谈：

杨重对一个暴突眼的男子说：

“我这人不爱说假话，心里怎么想的，嘴上就怎么说。不怕得罪人！我一见你就觉得不应该——您不应是一中国人！”

“那我是什么人啊？”

“您就不该是人。”

“怎么讲？”

“委屈！听说过仙风道骨吗？那就是说您。”

“有那么严重吗？”

“太严重了。您还看不出来吗？我这人一向是实事求是的，您就是活脱一神仙啊！搁我文盲那会儿，见了您我得磕头——您可千万别让我奶奶瞧见，瞧见她可就得缠着你托你给观音女士带好儿，还非得带到。”

“不不，我还是人，一个普通人，爹妈生党培养，有欢乐有忧愁。”

“不不，那是您谦虚。实际上呢，您欢乐，那也是与民同乐；忧愁呢，更是先天下之忧而忧。”

“我真不是这样。欢乐，占点小便宜就乐；忧愁，吃点小亏就愁。”

“不可能。我懂您这话的意思，您是瞧出我是这种人了，拿这话给我一个警醒。达到目的了，我如遭棒喝，如雷贯耳，若有所思……”

“你这不是讽刺我吧？您瞧，我跟您说了实话，你就拿这话来臊我。”

“看不出来啊，是不是于观？这先生道深了，任咱们怎么捧，岿然不动。”

“这就叫大家风度，真正知道自己几斤几两。现在这样的人真是不多了，有点小成绩就自己抬轿子自己坐，哪像您？哎，我跟您头一回见面，不了解，但您给我一个突出的印象特别强烈，您这人不吃捧。”于观掉脸飞快地说：

“我都怕了他了我一点不瞎说，这样的人再多几个，咱们这碗饭吃不成了。”杨重苦恼地望着对手，十分真诚。

“谁说我不吃捧？我就为了让你们捧特意跟单位请了事假从天津赶来的。问题是你们没说出我怎么就跟别人不一样了，我不服气。”

“好好，咱从头来，您是先进生产者？”

“不，我是落后分子。”

“那是您见荣誉就让，见困难就上。”

“可我也挺想先进的，不愿意这么平凡。”

“痴心不改，俯首甘为，平凡见伟大呀！”

“说不想那是虚伪，想而不为那是洒脱。为什么说高山走俊鸟呢？人前人后那都叫家畜。”于观又远远插了一句。

“我不是不想为，而是办不到，懒惰成性，一想干活就恶心。”

“这怎么叫懒惰成性呢？这叫本质高洁，与世无争，不为五斗米折腰。您天生就不是一个小事能满足的人。”

“可别人怎么说我是大事干不来，小事又不干呢？”

“那是他们不了解您，您高说不到三十，不到三十怎么就能把你看成了呢？齐先生四十学画，姜先生八十挂相，在这之前干吗了？还不都是瞎混？一个当木匠一个当渔夫。谁想到过小流氓刘邦还能做一番事业呢？”

“好喝酒吧？”马青走过来问。

“好，没事就喝，喝完就睡，外号醉猫。这还能算优点吗？这不叫醉生梦死吗？”

“错了吧？这叫梦里乾坤大，杯中日月新。古来圣贤在何方？唯有饮者留其名。”马青得意地走开。

“我觉得你特像古代那种落魄的知识分子。”杨重严肃道。

“您是文人吧？”马青问一个白化病般雪白的人儿。

“不不，我就是一骚客。串点晚会词儿啊，写点骂人的小品文啊，给报纸纠正点错字连带不署名地在广告末尾斩钉截铁来上一句。”

“我知道您是谁了，您是那‘一句师’！”

“谁？我是谁？”小白人儿不解。

“是谁不重要，关键是你写得好。”马青又道。

“不好，比那俩仲马俩托尔斯泰差远啦。”

“我不同意你这观点，那四位加起来，您不留神就跟他们打一平手。”

“您这么说就太过了，我是个什么东西我自己还是了解一二的，差距还是比较大的。”

“那是您自暴自弃。您想啊，那四位写了多少字，才给群众留下个印象。您呢，一句话就流传甚广。怎么比呢？搞过创作的人都知道，写长容易写短难。”

“两回事，你说的那是两回事。‘生产搞上去，人口降下来’。妇孺皆知吧？你不能管发明这句话的人叫文豪。我明白，我懂，我不能说让您胡乱一捧就真以为自己空前绝后，我还没那么浅薄。”

“可搁我们这些浅薄的人看来，您不是空前绝后也是难得一见，在您可能不算什么，习以为常，但您不能不让我们激动万分——因为我们有了您。”

“你这就得算肉麻了，你怎么能够，对我，一个平生最恨个人崇拜的公民，说出这等不知羞耻的话？你这等于是侮辱了我的人格！”

“您动了气，我还不高兴呢，什么时候实事求是也成了不知羞耻？我有权利表达我对您的崇拜！想不让我说，任何人，你也办不到！我做错什么了，嗯？我不过是行使了宪法赋予一个公民的基本权利。我还告诉你，这不是在美国，我也不是黑人，你还甭想歧视我！”马青火了。

“可我确实没有什么了不起的，你干吗非说我有多么了不起？”小白人儿哭咧咧地皱着小脸。

“少废话！你就是高就是天才！就是文豪！就是大师！就是他妈的圣人！哭、央求，全没用，我就是不改口！您，风华正茂，英姿飒爽，一表人才，加上才华横溢才气逼人才大志疏合成一个才貌双全怎么能不说你超群绝伦超凡脱俗超然屹立一万年才出一个！”

“不要吵不要吵，马青，消消气，好好地捧着人怎么急了？”于观闻声转过头说。

“不是我没见过他这样的，我这苦口婆心，嘴皮子都快磨破了，他还无动于衷。”

“我不是无动于衷哥们儿，我真是觉得自己不行。您说我风华正茂，我觉得我徐娘半老；您夸我英姿飒爽，我觉得我委靡不振；您赞我一表人才，我照镜子看到的是獐头鼠目。哪儿来的什么‘才’呀？不过是一连串的雕虫小技淫奇新巧文字游戏顶到天算一个欺世盗名沽名钓誉气势汹汹其貌不扬臭名昭著狼狈不堪。”

“你们听听，他这说的还是人话吗？你们见过这种谦虚得一塌糊涂的人吗？我是没词儿了，冯老师你来伺候他。”

马青气走了，冯小刚拖把椅子过来坐在小白人面前：

“怎么回事啊？你怎么对自己的看法这么不正确啊？有些优点自己没意识到，别人给你指出来，就该虚心接受，怎么能这么自以为是呢？我平时是不爱随便表扬人的，全凭自觉嘛。可对你这种不自觉的人，我今天就要狠狠表扬你。”

“先让他自己说，他是什么人。说清楚，不说清楚甭想走。”马青喝着水又走回来，兀自愤懑难消。

“他这种恶劣态度一定要狠狠治治他。”刘美萍白小白人一眼，“不像话！”

“不怕犯错误，就怕犯了错误不认识，还坚持错误。”丁小鲁也慢条斯理地开口，问于观：“这人够得上一典型吧？”

于观沉痛地点点头。

“说吧，”冯小刚和颜悦色地对小白人说，“你看这么多同志关心你，你应该拿出勇气正视自己的优点。”

“可我确实没优点。”小白人苦苦哀求。

“不可能！”冯小刚一扬脸，“一个人怎么可能没优点呢？你这就不是辩证唯物主义看问题的态度了。”

他又安抚小白人：“好好想想，回忆一下，想起多少，说多少。爱国吗？”

“当然。”小白人吓了一跳，忙回答。

“瞧，找点优点还是很容易找的嘛。”

“爱国爱党爱人民爱学习……不爱劳动。”小白人苦苦思索，边想边说，“模范遵守政府的法令法规和政策……”

“不要避重就轻，说那些鸡毛蒜皮的小事。”杨重在一边恫吓小白人，“你的情况我们都掌握，现在主要是看你的态度，要是等我们替你说出来，你就被动了。”

“还有胆小。”小白人兴奋地说，“干了坏事一诈就承认。”

“这算一条。”冯小刚掰着手指给他数着，“还有。”

“忠诚。对家庭和社会有责任感，从不在外面乱搞和进行煽动。”

“不是这个，这些我们都掌握了，还有。”

“还善良，对老区和灾区人民富有同情心，包括我们家里，一件旧衣裳都没有了。看见那要饭的，明知道是骗钱，家里小洋楼都盖起来了，还忍不住给个块儿八毛的。”

“还有还有，”冯小刚不耐烦地用手指敲着桌子，“要说痛痛快快的，竹筒倒豆子，不要存侥幸心理，以为可以蒙混过关。”

“还有什么？没有的我都说了怎么还有？再说可就是胡编了。我说前儿个掉粪坑里的那个少先队员是我捞起来的你们信吗？”

“老实点！你以为你是在什么地方？”杨重冲过来，厉声拍案喝道。

“什么地方？我不知道你们这是什么地方。”小白人此刻倒面无惧色，“本来看见招贴以为是旅行社呢，想去白洋淀玩两天，谁料就折这儿了。”

他如此一说，杨重自个愣了，呆了片刻，没趣儿地走开。

冯小刚满面堆笑，怯怯地拉了拉小白人衣袖：

“既然你说你都说了，那我问你，你是不是很喜欢听音乐呀，古典的、现代的唯独没有流行的？”

“正好相反，就喜欢流行的唯独没有从古典到现代的其他一切。”

“这你就是不说实话，你这就是赌气了。”

“我怎么没说实话？我说的全是实话。我就是一个写广告词的，干吗要装作是人类文化遗产的正宗继承人？我就喜欢我出生以后问世的东西！就喜欢一切都用新的！就喜欢加入人数最多的那一群混迹其中你管我叫随大流赶时髦都可以！”

“可你知道什么是高级的、艺术的，只不过你不愿意脱离群众。”

“对，我知道，能被最广大的群众所接受的就是高级的、艺术的。譬如相声、武侠小说、伤感电影、流行歌曲、时装表演诸如此类。这就是我，和知识分子迥然不同的，一个俗人的标准——我为此骄傲。”

“不！”冯小刚断喝一声，终于等到了破绽，跳到地上使劲摇头，弯腰跺脚地喊：

“你不是个俗人！”

一屋人都笑了。小白人也不由笑了，仍嘴硬：

“我就是俗人，板上钉钉的俗人。”

“你不是！”冯小刚不苟言笑，冲到小白人面前，激烈地说：“你这样的人我见多了，钱钟书、弥勒佛、济公，还少吗？这就叫大智若愚呀同志们这就叫装疯卖傻呀同志们！大家千万不要被他假相所迷惑，应该剥去伪装，还其真相。”

他转身面对小白人，一字一顿地说：“你是个雅人，天下第一雅人……”

他想了想，终于找到认为精确的词，大声说：“你是个羞于承认自己雅的因而是真雅的雅人！”

同志们掌声四起。

小白人也满面放光：“我真是这样吗？”

“真是。”于观含笑上来道，“你想呢，除了王婆谁还会自卖自夸？喊得最响的往往是心里最虚的。不叫狗咬人。敢于承认自己俗那得需要多大的雅量啊——你还不是雅人吗？”

“瞧瞧，笑得合不上嘴了。”众人指着小白人笑。

“还是冯先生有高的，一下就解决了问题。”美萍对马青说，“你真该跟人好好学学。”

“是，”马青道，“不承认有差距不行。”

“舒坦了吗哥们儿？”冯小刚问小白人。

小白人掩嘴笑个不停，一边热烈地和冯小刚握手："舒坦了舒坦了，从未有过的舒坦。哥们儿你真行，有您这碗酒垫底，这些年我受到的委屈我都不计较了。"

"跟那些俗人计较什么！"

四

"累，真累，这么一天拿下来比治理一个小国还累。"马青大声喊，"谁说捧人不是体力劳动？"

一天的工作结束，大家都像被扎了的轮胎瘪了下去，个个精神颓萎，瘫坐在各自的座位上，或闭眼养神或长吁短叹，丁小鲁轻轻揉着自己的太阳穴。

"你看我这嘴皮子是不是磨起一泡？"杨重张大嘴让美萍看。

"哟，真起了一泡。"美萍说，"给你涂点紫药水。"

她拿棉签蘸了紫药水小心翼翼地涂在杨重的嘴角上。

"娘希匹！"杨重用浙江官话骂了一句，试试自己的嘴是否依然开合自如。

"挂花了？"马青走过来看看杨重的嘴，好心好意地说，"捧你一道，慰问慰问。"

"别，别，咱们之间就别来这套了。"

"特别是咱们之间，更该以身作则，不能让人家说咱们搞特殊化。我对你有意见——你工作起来怎么就不知道休息？"

"你是不是嘴痒痒闲得难受？"杨重乜斜着眼睛道，"别拿我打岔，留神我跟你急。"

"我觉得我们这些人里也就是杨重头脑最清醒了……"

"我说你怎么回事？越不叫你干什么你还非干什么，非找着我跟你急！”杨重急了，“烦不烦呀？一天下来下了班也不让人清静。”

“杨重，你要干吗？”于观在一边冷冷地开口，“同志们捧你也是因为爱护你，你什么态度？”

“我不需要！”杨重阴沉着脸冲于观道，“我谢你们了。”

“这不是你需要不需要的问题，而是一个工作态度问题。”于观厉声道，“如何摆正捧人和挨捧的关系问题！”

“现在是下班时间。”

“作为一个好的吹捧家就没有上下班之分，随时随地都是在工作。”

“我就是听不得肉麻吹捧，听见就起鸡皮疙瘩。”

“那就不行！就要改！一个救死扶伤的医生怎么能怕自己传染上疾病？”

看到他们二人吵起来，丁小鲁忙劝：“吵什么呀？累了一天，你们怎么一点不注意保护嗓子？”

“你少搞无原则的一团和气！”于观一挥手。

“怎么冲我来了？”丁小鲁不满地瞪了于观一眼，“于观我觉得你最近火气太大，虽然工作累点也不该对同志动不动发脾气，不要忘了你现在的身份是一个吹捧家，你的行为很不像一个吹捧家。”

“可是……”

“算了算了，何必为捧人伤和气。”刘美萍也过来相劝。她看到马青臊眉搭眼站在一边，拉着他笑道：“我不怕捧，你捧我一道吧。”

丁小鲁也跟着笑：“是啊，你一开始目标就选错，捧人应该先捧小姐呀。”

马青本来被杨重倔得挺没趣儿，一见两位女士热情相邀，只得强打精神堆出一脸笑：

“那好，我就捧你，准备好了没有，我可要开始了。”

“你等我靠墙站好了，我这人一捧就晕。”

马青对丁小鲁说：“我没见美萍前，就不知道这‘美好’二字指的是什么，查遍所有辞典仍然心中茫然，而今一见美萍恍然大悟。”

“一般，不够刺激。”丁小鲁笑说。

“我从小就特爱幻想，一见美萍，一点想法都没有了，从此变得特别实际。”

“你说的还不如我呢。”丁小鲁笑道，“应该这么说：我一见美萍连生活的信心都没有了——你使我自卑美萍。”

一直没出声的冯小刚远远地开口，语调浑厚，充满深情，犹如赵忠祥播讲《动物世界》：

“我每回都以极大的毅力才克制住自己不动声地喊出美萍的名字，否则就要脱口喊出：美！美！口齿多伶俐的人偏在这个词上结巴。”

一屋人开怀大笑，连于观、杨重也忍不住笑了。

“还得属冯先生，一语中的。”丁小鲁笑问美萍，“还走得动道吗？”

“劳驾你搀我一把。”美萍作痴醉、沉迷状。

“我觉得我们捧来捧去就忘了一个最该捧的人。”丁小鲁看着冯小刚笑，“此人劳苦功高，没有他也没有我们的今天。”

“对，咱们怎么把冯师忘了？”于观笑叫，“这样的人不捧还有什么人可以捧呢？”

“冯先生，您脸色怎么这么不好？”美萍大惊小怪地问，“是不是哪儿不舒服？”

“没事，我先天心脏有点缺损。”冯小刚挺直腰坐正，“来吧，几句捧还是挺得住的。”

“是不是可以这么说冯先生，”丁小鲁道，“我们几个就算您带的研究生？”

“可以。”

“冯师刚一张嘴，我心中便涌出一句文言感叹：‘真奇男子也！’”于观笑道。

“冯师死后，哪儿都可以烧，唯独这张嘴一定要割下来，永久保存，供人瞻仰。”丁小鲁道。

“或者修个墓，”马青也道，“立座碑，请启功先生写个字，碑后用阴文历数此嘴生平。伟人不都有三两个衣冠冢吗？修个嘴冢我觉得不过分。”

“那就拜托了。”冯小刚拱拱手，“我这把骨头你们扬哪儿去都可以，独这嘴我也觉得好，舍不得。记住，一定找一福尔马林瓶子给我泡上，别回头二百年后烂了。”

“不用，您那是铁嘴，烂不了。”于观道，“我倒建议像泡野山参似的泡在酒里，有那嘴笨不会说巧话的喝上一盅保管变八哥。”

“诸位诸位。”丁小鲁说道，“我建议我们现在就给冯师拟篇铭文，一旦冯师仙逝，立刻就能找石匠刻上碑。”

“好啊，”大家纷纷来了情绪，“拟吧，省得措手不及。”

“先师冯小刚之嘴萌生于二十世纪中叶。”丁小鲁笑瞅着冯小刚，一句一顿地说，“受日月之精华，纳天地之灵蕴；栉风沐雨，含苦茹辛……”

“历尽甜酸苦辣，品遍软硬冷热。”于观接上来摇头晃脑地吟道，“吐故纳新，咬韧嚼脆；凡鲜血淋漓，皮开肉绽种种遭遇，不堪回首。终于蜕皮……”

“结痂。”丁小鲁捶胸高叫。

“长茧。”美萍笑弯了腰。

“覆鳞，角化！”马青抢着补充，“几经淬火，千锤百炼……”

“得一铁嘴钢牙！”于观不容分说，厉声高叫盖住他人喧嚣，“唇红齿白，口舌生香；能吐芝兰之芬馥，堪效百鸟之宛转；嘤嘤动听，如抹蜜糖；耕云播雨，扬是传非……”

“上至公卿，下至黔首。”丁小鲁几乎喊破了嗓子，笑倒了自己，“上至公卿，下至黔首，人见人爱，视为奇珍；心疼不已，把玩不休……”

“冯师，你就差再拿一个巴拿马万国博览会金奖了，那样这篇铭文就算做足了文章。”杨重道。

“已经很好了。”冯小刚微微一笑，“已经足可流芳百世了，我替我这嘴谢谢你们。如果将来香火盛了，我看也可设配殿供奉诸位，我等数人共享祭祀岂不大快人心足慰生平？”

五

“发学习材料了啊。”

次日刚上班，刘美萍便捧着一摞《祝词贺语辞典》和老三篇小册子逐份发给大家。

“都认真学习呵，回头我要一一检查你们的学习体会的。”她边分发边说。

马青正在和丁小鲁谈工作：

“五星上将的军服有了，M-1 步枪也有了，美式吉普也搞到了。

现在就差几身中将、少将的军服。我到北影道具库看了，美式军装都被上戏的剧组借出去了，只有国民党的军服。”

“国民党的也可以。”丁小鲁说，“但一定得是解放战争时期的。”

“行刑室也联系了。”马青又说，“老虎凳、竹签子、麻绳皮鞭都搞到了，再买把烙铁就齐了，先说好不可能完全尊重历史，烙铁只能是电烙铁。”

“可以，”丁小鲁说，“大概齐嘛，是那意思就行了。”

“目前成问题的是这几条：沿途高呼口号有关方面没有批准。”

“你应该跟他们讲，口号我们都审查过了，没有问题，都是‘打倒国民党’、‘共产党万岁’之类的，也就是‘二十年之后又是条好汉’粗俗点。”

“我跟他们讲了，不行。还有，节前不许放鞭炮，枪毙是不是考虑改绞刑？其实这也挺过瘾的。”

“最好还是枪毙，这是客户再三强调的，再争取争取，做做有关方面的工作。法场呢？和菜市口交通队联系了吗？”

“于观说了，不必去菜市口，拉到郊外随便找一个山清水秀唱起歌剧也奇怪的地方就行了。”

“采景的工作还要抓紧。”

“我会的。”

“大家静一静啊，我说几句。”正在和冯小刚嘀咕的于观站起来，手扶着桌子对大家说，“今天上午我们就不营业了，集中起来开个会。刚才我和冯先生研究了，我们开始营业以来，取得了一些成绩，但同时也暴露出了一些问题。我们认为有必要在大规模开展业务以前总结一下前一段的工作，澄清一些是非混乱的问题。大家都不要说话了，坐得靠拢一些，下面我们开会。”

“我今天已经和一个客户约好了，上午去她家谈为什么总有人嫉妒她的问题。”杨重说。

“这个，改个时间吧。”于观挥手让杨重坐下，“你尤其不能走，今天这个会主要是谈你的问题。”

“我有什么问题？”杨重小声嘟哝，不服气地扬脸坐在一边。

于观严肃地扫了大家一眼，看到会场静了下来，开始说：

“从前一段的工作情况看，总的来说是不错的。是有成绩的。同志们大多数都表现得努力，很投入，很忘我。特别是一些过去表现不好的同志，在这次工作中表现出了很大的干劲和创新精神。在这里我特别要表扬马青，不但工作很卖力很主动，下了班后仍然坚持捧人，拿同事练兵。这就很好嘛，我们就是需要在我们内部首先创造出一个互相吹捧的气氛。正人必须正己，要求别人做到的自己应该首先做到。我认为马青带了好头，应该表扬。”

大家的眼睛一起转向马青，马青害羞地低下头。

“但是——”于观的语气严厉了，“也有那么一些人，表现得不好，很不好。在这里我就不点他的名字了，大家可能也猜得出我说的是谁。”

“我嘛，”杨重说，“你还没‘但是’呢我就已经猜出来了，总共就这么五六个人。”

“既然你自己跳出来了。我们不妨就公开指名道姓地说，这也符合我们中间有问题摆到桌面上谈的传统。杨重，我对你开展吹捧工作以来的表现很不满意！数你怪话多，牢骚满腹，干起工作来瞧你那个不情愿的样子。同志找你切磋业务你什么态度？”

杨重和马青热烈握手。

“马青你不要和他握手。你不要笑杨重，装出无所谓的样子。”

“我是无所谓嘛，不是装的。”杨重说。

众人一阵小声窃笑。

“严肃点！”于观喊，“这是在开会。我们有些同志就是是非观念模糊，谁受了批评他就忙不迭跑过去表示同情。我看我们这个小小的单位里歪风邪气也很厉害。”

大家不笑了，低下头都不吭声。

于观又说：“我还要说你，杨重。我看你是没有放下包袱，背着个老沉老大的箱子过河。像个满族女人，头发梳得很高，脚上穿着花金底鞋，一步三扭，弱不禁风，这个样子怎么能适应新形势？你有什么丢不下的？你那个箱子装的都是什么宝贝？抖搂出来让大家看看，究竟是宝贝呢还是破烂？我看不是什么值钱的东西。”

于观目光炯炯地扫视了众人一眼。

“我再三对同志们讲，要舍得自己，彻底的唯物主义者是无所畏惧的。人死灯灭嘛，生不带来死不带走嘛，男同志也就是个精虫嘛。有些同志就是像个地主老财，终身只恨聚无多，不但聚，他还要藏，挖很深的洞子埋。把自己那点宝贝藏得严严的，秘不示人，打算子子孙孙传下去吗？今天我们就是要发动群众打土豪分田地。你不是宝贝吗？你不是舍不得吗？对不起，我就是要搞光你。”

于观捋胳膊挽袖子虎着个脸瞪着杨重：“你不动手老子可要动手了，搞你个倾家荡产！”

冯小刚说：“当然我们这样做的目的，还是为了治病救人，大家不要以为这是在有意整谁。”

于观说：“不如此我们的事业就不能发展！这就如同身在战场，同志们都舍生忘死地往前冲，你一个人脑子里总是盘算老婆孩子发财保命，这就是对正在牺牲流血的战友的背叛！知道战场上对临阵畏缩的逃兵怎么处置吗？”

冯小刚把脸转向大家:“都谈谈，大家都谈谈，这也是考验每个人的立场和态度，是站在人民一边呢还是跑到人民的反面去。”

“我说说吧，”刘美萍先开了口，“刚才听了于观同志的一席话，我觉得很受教育，也很受震动。于观同志虽然是批评杨重，但我觉得同样的问题也在自己身上不同程度地存在。自己过去吧，总觉得自己根红苗正，又是个苦孩子。不会有什么私心……”

“慢，慢，美萍。”于观打断她，“你先不要急于检讨，我们不是要搞人人过关。你的问题这次不谈，先集中集中火力打杨重的土豪，不要混淆两种不同性质矛盾。”

“我觉得吧，杨重从骨子里瞧不起捧人工作，认为低人一等。”美萍扭捏地说。

“没有，我没有。”杨重抗议。

“你不要打断别人，待会儿专门有时间给你讲。”于观喝住。

“是这样的杨重同志。”美萍道，“你不承认，我也看得出来。我觉得你虚荣心特别强，平时就有点知识分子的自命清高，不爱理人。”

“你才是知识分子呢！我初中文化程度怎么成知识分子了？”杨重火了，“诬陷嘛。”

“不是知识分子，一身知识分子毛病更要不得的。”马青说，“我觉得美萍说得没错，但还没说到点子上，你那个虚荣心不是知识分子的，而是彻头彻尾小布尔乔亚虚荣心；你到农贸市场买菜连价钱都不好意思问嘛，不管给多少丢了钱就走。”

“这也是资产阶级阔少作风。”于观在笔记本上记上一条。

“我同情劳动人民，乐意多给他们几个。”

“你那叫同情？你那叫伪善，劳动人民不用你怜悯！”马青冲杨重连珠炮似的开火，“你这是不尊重劳动人民的劳动成果。”

“恰恰相反，正因为我觉得一粒米一个菜叶都来之不易，才觉得应该多付一些钱，不好意思讨价还价。”

“伪君子！你这是资产阶级的自我道德完善！你完善了置别人于何地？那些和你一起买菜的家境并不宽裕的广大群众怎么办？”马青一拍大腿，指着杨重喝道，“你站起来！”

“站起来！”刘美萍也情绪激昂地喊，“杨重不老实就叫他站起来！”

“群众叫你站，你就站起来吧。”于观对杨重说。

杨重可怜巴巴地站起来，低下头。

“你说！你交代……”马青、刘美萍围攻杨重，指指戳戳。

“我交代什么呀？”杨重十分困惑、无奈。

“咱们原先打算让他交代什么来着？”于观也小声问冯小刚。

“买菜多给钱？”

“不，不，不是这个，是什么我也忘了，但肯定不是这个。”于观想了又想，叹口气，“实在想不起来了。”

“我被这一搅也搅忘了。”冯小刚灵机一动，“让他自己说。”

“你自己说，我们想让你说什么来着？”于观义正词严地指着杨重。

丁小鲁抬腿站起来往外走。

“你去哪儿？”于观问。

“恶心。”丁小鲁说，“你们抽烟抽得太凶，熏得我脑仁疼。”

说完她径自出了门。

“你们让我说什么呀？”杨重愁眉苦脸地嚷，“哪位好心人给提个醒。”

“管说什么呢，”马青小声对他说，“捧于观一道不就完了？”

“对对，我怎么把这忘了。”杨重转向于观，一脸沉痛，喃喃地说，“我确实是，哎，像于观老师所说的那样，嗯，总而言之，一切尽如于观老师所指出的没有丝毫走样儿。心情很沉痛，另一方面又很感激，为有于观这么一个严格要求我的老师庆幸，否则我不知要滑多么远呢。我了解你于观，我知道你今天能当面向我指出我的缺点是经过多么激烈的思想斗争，心情会多痛苦多矛盾。我们是好朋友，可是你能不徇私情，这才说明你是真正爱护我，我们是真的朋友——这需要多么大的勇气啊！”

“我想起来了，”冯小刚小声对于观说，“捧人……”

于观伸手制止了冯小刚，眼含热泪望着杨重。

他们动情地拥抱在一走，紧紧握手。

“这叫什么呀！”杨重一甩手，对马青说。

“你怎么还不明白呀？”马青对他说，“从今后，咱对于观也得捧着说话了。”

“冯老师，”丁小鲁对冯小刚说，“我有一个工作问题想向你请教。咱们现在这工作开展得的确很顺利、很有成绩，顾客也在不断增多，可我对这个工作的某些工作方式及其效果不大舒服，不瞒你说甚至有些反感。”

“你说你说，知无不言。”

“捧人这个意义我是懂的，也很赞同。可为什么捧一个人的同时我们总要脸低一些人乃至自我脸低？这和我们要捧出个全社会的祥和气氛的宗旨岂不是互相矛盾、冲突了吗？这么捧下去，不还是造成了人和人之间的互相轻视互相瞧不起，最多只是一部分人心情舒畅？”

“有这个问题。”冯小刚深深点头。

“其实我们并没有解决矛盾，只不过是片面助长了单方的气焰。可想而知，从我们这里获得了满足感的人一旦走出我们这个门会是副什么嘴脸，别人对他又是个什么印象。”

“是啊，没准我们好心好意倒是把人家要了。”马青咂着舌道。

“就是，”刘美萍也说，“每次看见顾客带着微笑从我们这儿离去，我都替他悬着个心，捏着把汗。”

“总是讲我们没目的，可长此以往，别人会对我们怎么看？能相信我们吗？”杨重摊开手问冯小刚。

“你们说的这些问题，其实是个捧人的理论问题。这问题我思考了很久，一直没有答案。的确，在捧人实践中这种现象是大量存在的，一直没有得到很好的解决。而这个现象是和我们捧人的初衷背道而驰的。问题出在实践中，可实际上主要根源是我们捧人理论还不够完善，很多重大问题还很混乱，没有得到澄清。”

“请您说得具体点，你刚才那席话等于什么都没说。”

“说来话长。”

“没关系，你就长话短说。”丁小鲁摆出认真听讲的相儿。

“就像任何新的东西都是脱胎于旧的东西一样，我们捧人也是脱胎于骂人，因此不可避免带有旧社会的影响和烙印。我们很多吹捧家譬如诸位都是骂人出身，虽然抱有最良好的愿望，但一旦捧不动了急于追求效果就情不自禁使用习惯语式。要知道骂人是比捧人更悠久的一门艺术。当然更重要的还有我们的对象的审美需要。”

“没错，如果你不贬低他人，没有一个对象会获得真正的快感和满足。”于观插话。

“是啊，任何吹捧家也不可能脱离对象单独存在，就像衣服离不开身体鞋离不开脚毛发离不开皮肤一样。”

“可我觉得，作为一个优秀的吹捧家，应该有自己的追求和个性，不能迁就对象的庸俗趣味，就像优秀的纯文学作家和纯电影导演从来不迁就我们一样。”丁小鲁道。

“你说得很对，我又何尝不想这样？可我们吹捧艺术还不完全相同于其他艺术，它有些类似于工艺美术——我这么看。你还不能把它完全摆到一种只供欣赏的位置。它还是要服务于大众的。任何艺术如果变成了纯形式纯技巧的炫耀，也就失去了生命力，特别是吹捧这门刚刚起步的艺术。我不排除，将来有一天，社会进步到一定程度，吹捧会像芭蕾、交响乐、绘画那样变成一种只能到剧场、博物馆才能欣赏到的艺术，一种只适合在舞台上表演的艺术。哪怕变得像哲学那么抽象，仅仅是智慧的独白和语言的发挥。要是到了那一天，我们这些人断子绝孙又有什么遗憾的呢？”

“冯老师，我发觉你这人还是挺爱幻想的。”美萍微笑。

“那当然，老实说我这人其实就是个生活在幻想中的人，虽然我的行为那么脚踏实地。我告诉你美萍，我推心置腹地告诉你：我们谁也不可能超越历史发展的阶段。既然生当斯时，就要尊重现实，不要让认识的飞跃把你变成脱离时代的狂人。对你们刚才提的那个问题，我也只能如此回答你：要奋斗就会有牺牲。”

“可这对其他人是不公平的。”丁小鲁说。

“吹捧像资本主义一样也要有残酷的原始积累阶段，任何温情主义只能妨碍乃至破坏公平的最终确定。你生来美丽，就是对丑姑娘最大不公平。所以，忘掉人生本是平等的这一资产阶级观点吧。”

冯小刚语重心长地说：

“任何一味药都不能说是包治百病。就像一个人患了绝症病得要死一样，明明知道吗啡只能暂时减缓他的痛苦甚至还会有嗜瘾的不良副作用，你给不给他注射呢？是看着他痛苦挣扎还是药物使他麻痹获得一些短暂的安宁？不要谈什么诚实的良知和救死扶伤的使命感，仅从作为一个医生的起码医德讲，减轻病人的痛苦就是责无旁贷的。所以，道德不是空泛的、脱离对象孤立存在的。你给一个健康人注射吗啡那是犯罪，而给一个垂死的人注射吗啡那就是最大的道德！”

六

一辆美式吉普自西向东疾驶而来。路边骑车上班的行人看到开车的是个硝烟满身的美军上将无不大惊失色：

“这是解哪儿刚空投下来的？怎么没人管他？我们的军队呢？”

于观和冯小刚穿着中士军装，头上扣着沉重的钢盔，各抱了支步枪坐在吉普车后座上，不时被颠得屁股腾空，枪支装具叮当乱响。

“将军，我们是在德国，请您注意安全。”于观扶正钢盔大声说。

“我知道是在德国，瞧公路被我们炮弹炸得到处是弹坑。”

中国“巴顿”有意把车开得倏忽乱飘。

“下面该什么词了？”于观小声问冯小刚。

冯小刚掩嘴道：“冰激凌。”

“噢，将军，我们有一礼拜没吃到冰激凌了，连‘可口可乐’都不是原装的。”于观大声说。

“让美国空军给我们运！”“将军”回答。

“噢，将军，听说供应给我们的‘骆驼’香烟都在安特卫普让后方那些坏蛋批发给比利时倒爷了。”

“连我们的口香糖都嚼在那些意大利妓女嘴里，我嘴臭得都没法吻那些欢迎我们的巴黎娘们儿了。”冯小刚撅着嘴抱怨。

“给艾克打电报，”“将军”满不在乎地说，“我要把这些坏蛋统统枪毙！”

杨重戴了顶美国宪兵的白钢盔，忙着给路口的交通警递烟：

“帮帮忙师傅，我就替您一小会儿。”

“你们拍的什么片子？”交通警一边下岗台一边问。

“打仗的。”

杨重迅速站上岗台，伸出一只五指张开的手掌迎头拦住直冲过来的吉普。

吉普车一个急刹车，于观、冯小刚像两袋土豆砸在“将军”身上。于观连滚带爬地站起来，狐假虎威地嚷：

“嘿，看不见我们是美军吗？”

“任何人都要检查证件。”马青夹着枪严肃地走上前，“有情报说，德国人正装扮成美军搞破坏。”

“将军”目光尖锐地瞟了马青一眼，“啪”地吐掉嘴里雪茄，骄横地站起来，掏出皱巴巴的船形帽，刷刷地掸去挡风玻璃上马青泼上的那桶灰土，露出杨重一笔一画描上的五颗白五角星。

与此同时，马青杨重咔地一个立正，胸脯挺得像个孕妇，一齐敬了自己一个有力标准的礼。

杨重当场就翻白眼跪倒了，枪托重重地杵在地上。

围观的群众热烈鼓掌。

“快快，把将军服给我！”

吉普车还没停稳，于观和冯小刚就一边扒着自己的衣裳一边跳下车，接过镶金边的呢子裤就往腿上套。

杨重马青扛着枪满头大汗跌跌撞撞从外边跑进来。

“快换装。”于观朝他们喊，“来不及就光换肩章。”

“将军”此刻正站在院门口和穿了身皱巴巴的下士军装的啤酒厂传达室大爷亲密攀谈：

“近来好吗，汤姆？”

“报告将军，我老伴从新泽西来信，说我家奶牛又挤不出奶了。”

“买头新的嘛，汤姆，战役结束我就提升你为上士。”

“好了，将军。”烫了头穿得像个女特务似的丁小鲁喊，“可以开会了。”

会议室里，令人生畏的“将军”们垂手肃立。门外传来一阵皮靴响，戎装笔挺的“上将”满面春风地走进来，双方打了个不尴不尬的照面，彼此心中暗惊，“上将”蹦出一句生硬的英语：“鼓捣满拧——先生们。”

“满拧满拧。”“将军”们七嘴八舌回答。

“将军，德国地图实在搞不着，只好弄一上海地图您凑合部署吧。”

冯少将说完刷的一声拉开墙上的布帘，将一支台球棍递给“上将”。

“上将”举棍在墙上的地图戳戳点点比画了一会，转过身来面对众“将军”：

“张军长。”

“有！”杨中将挺着胸脯站起来。

“你的部队现在哪里？”

“我的部队已经到达闸北。”

“李军长。”

“有！”马少将英姿勃勃地站起来。

“你的部队现在哪里？”

“我的部队都在西郊公园。”

“太慢了，下午五点一定要到徐家汇。蒙蒂的部队现在哪里？”“上将”转向冯少将。

“他们昨天就已经占领了吴淞镇，现在五角场一带布防。”冯少将回答。

“给我八百吨汽油。”杨重道，“我的坦克明天就能到外滩。”

“于司令。”

“在。”于观从桌旁站起来，扔掉手中正吸的烟。

“你的装甲师为什么没有消息？”

“我的装甲师还在宝山。我遭到了党卫军的反攻，我的部队损失惨重，只剩五辆坦克了，我的参谋长也战死了。”

“马军长，你接替于司令的指挥。于司令，我批准你回国休假，你和南希三年没见面了，你该回去看看她和你的三个孩子，替我问候南希。”

“我为党国立过战功，我在北非流过血，我在犹他海滩负过伤。”

于观抗议地嚷嚷，走出会议室。刚出门就在外面台阶上拢着手点着一支烟。

正靠着墙根儿懒洋洋晒太阳的丁小鲁问：“完了吗？”

“还没呢。”于观在台阶上坐下，一口口吸烟。

他一阵剧烈咳嗽，吐出一口浓痰，眼泪汪汪地喘息。

“烟抽太多了。”丁小鲁关切地看他一眼，“少抽点。”

“困，困得厉害。”于观揉眼睛。

“你真觉得这活报剧有意义？”

“怎么是活报剧？这是正事。”于观看她一眼。

丁小鲁叹口气：“有时想想也怪可怕的，连我们之间也没一句实话了。”

“你这个情绪不对嘛……”

“你别跟我说这个！”丁小鲁打断他，锐利地看于观一眼，“我不要听你这套。你让我觉得费解于观，现在我还看不清你，不知道你到底心里在想什么。不过有一句话我要告诉你，你说服不了我。”

冯小刚从里面出来，对于观说：“给支烟，憋坏了。”

于观掏出烟盒让他抽走一支：“说到哪儿了？”

“还要谈军需品的分配份额，杨重和艾克吵得很厉害。”冯小刚点着烟又进去了。

“该死！只要给我八百吨汽油，我就能让孩子们回美国过圣诞节。”杨重的声音从屋里传出来。

“国会不希望在一九四四年结束战争，我们还没有准备好为整个欧洲提供面包。”

“今儿是什么日子？”于观冷不丁问丁小鲁。

“不知道。”丁小鲁说，“好久没看日历了。”

一个男人兴冲冲走进来，瞧见于观就扬手打招呼：

“嘿，我来了。”

于观定睛瞧了这男人一会儿，认出是那个素怀大志的厨子。

“你先等会儿，这屋里完了就搒打你。”

“刚下班？”丁小鲁客气地和他打招呼。

“请假，这事重要啊。”厨子乐呵呵地说。

“什么时候到你们那饭店吃一顿？”于观说。

“没问题，去就提我，绝对优惠。”

“这里边怎么还不完？”丁小鲁等得有点不耐烦，“哪那么多说的？说好了中午要给人家还服装的。”

“这是给我预备的老虎凳吗？”

“对，那摞砖头也是你的，五块够吗？”

“差不多，也不一定，别忘了我从小练过体操。”

“困，老觉睁不开眼，闭眼就想睡。”于观又咳嗽。

“你这么熬下去，会把身体拼垮的。”

这时，会议室门开了，“将军”们疲惫不堪地走出来，唯独“上将”依旧神采奕奕，劲头十足：

“中士，把我的车开过来！”

“抱歉，您这车中午以前得还，劳驾您还是骑自行车回家吧。”丁小鲁上前道，“慢走，您这身衣裳也得扒下来。”

刘美萍端着个照相机过来，给“上将”拍了一通照，对他说：“明天你还是这个时候来取照片。你想放大，拿回底片您另放，这个不包括在内。”

于观站起来，拍拍屁股上的土，招呼大家：

“都过来都过来，大家搭把手，把这位先生吊起来。”

厨子还在笑，杨重一个绊儿把他撂倒在当院；厨子四马攒蹄被吊到房梁上，马青抖着手里的皮鞭像地狱里的小鬼似的问：“说，你的上级是谁？下级又是谁？”

“上级的姓名住址我知道，下级的姓名住址我也知道，可这是我们的组织秘密，不能告诉你。”

“你说不说？”马青也实在累了，喊不出声。

“打死我也不说。”

“好，那我就打死你！”

七

“你怎么有点咳嗽呀于观？是不是感冒了？”

“不知道，早晨起来就觉得嗓子疼。”

“头疼吗？”美萍把手放到于观额头试温度。

“头倒不疼，也不发烧，就是嗓子难受，咳咳。”

“可能是累的，说话太多。不成你回家歇两天，别闹出病来。”马青也说。

“不行啊，今儿是文明日，还有那么多工作呢。”

“我们几个去不一样吗？你还是歇一天吧。”杨重道。

“我歇不踏实，那么多人要捧，本来人手就不够，再把你们几个累病了。多一个人能分担点是点。”

“那你就悠着点，少捧几个，我们每人多捧一个也就把你的那份儿带出来了。”杨重过来递给于观一支烟。

“我说两句啊，最近咱们活儿多，天又热大家一定要注意休息，多喝水，千万别生病。丁小鲁你那儿还有钱吗？”

“有点。”

“买点胖大海、菊花给大家冲水喝。”于观吩咐。

“行，我说你们男的烟也少抽点，一点不注意保养嗓子。干咱们这行的嗓子坏了就全完了。”

“您找谁呀大妈？”刘美萍问一个刚进门的老太太。

“您这儿是那‘三好’协会？”

“是，怎么着，您老受了什么憋屈了？想散荡散荡？保您哭着来笑着走。”马青笑着迎上去。

“不是我，是我闺女。我那点糟泔事儿哪敢麻烦你们？我这辈子早吹了，什么全不想了。”

“您那闺女怎么啦？”杨重问。

“考大学没考上，如今失业在家。一个本该涂脂抹粉的年龄成日哭天抹泪，眼瞅着就邪了性。大妈求你们了，一定要好好劝劝她，给她几句好话，造成个印象还有人惦记她，让她觉得自己还不错哪怕是个误会呢。”

“交给我们吧大妈，把您的地址留下，天一擦黑我们就去。”杨重拿笔和纸。

“不用留地址，亮灯时候你们奔故宫筒子河一逮一准儿。都一对一对虾米似的，就她单绷儿，苦瓜一根，瞅着刚遭了歹人的强奸泪未干似的。”

“放心吧，保证还您一个目空一切的女强人，还是那种爱说爱笑到了嫁得出去的。”马青拍胸保证。

“走嘞走嘞，再晚今儿这几条街就转不完了。”于观喊。

一伙人上了街，出门便一路捧过去不问青红皂白。

“哎，你们快来瞧，这小丫头长得多好看，跟小洋人似的。有三岁了吧？长大准聪明准是个大高个，破了百米世界纪录我也不奇怪，瞧这两根小腿多长仙鹤似的。我这人从来不喜欢小孩儿，怎么一见这小孩儿就满心高兴？还得说人家爹妈会生，都是艺术家吧？”

“哇，真威风！你瞧人家那站姿，多标准，配上那身衣裳，怎么能不让人肃然起敬？看！不慌不忙，沉着冷静，这么多车都服服帖帖，没点眼光没点头脑成吗？喂同志，感谢你为首都人民没白没黑做的这一切。”

“多俊的冰棍车啊，看着我就咽唾沫。大妈，您一看就是个利索人。瞅您这白衣白帽，洗得多干净，天使似的。吃着您那冰棍也放心。”

“你们这商场真大真气派，进来不买东西心情都舒畅。”

“东西好那还在其次，售货员好那才是千载难逢。你们都是退下来的空中小姐吧？”

“瞧那卖糖果的小姐手指多灵巧，一抓就是一斤一粒不多一粒不少。嘀，跟玩杂技似的，瞅得我眼花缭乱，这一手一般人还真不行。您是三八红旗手吧？”

“瞅这买鞋的先生，一看就是大款。有钱，而且还是正道来的。称得上仪表堂堂财大气粗了吧？这西服穿在他身上就跟长在他身上似的，起码一千多块。瞧人先生那手，一看就是没干活的，多长多细钢琴家一样起码也是个弹琵琶的。看人家怎么掏钱包的，单用二指轻轻一夹，神不知鬼不觉……嗐，小偷！抓小偷！”

“这公共汽车开得是真稳，跟坐奔驰似的。”于观说。

“比奔驰舒服，奔驰能直腰站着不碰头吗？”冯小刚说。

“买票买票，别等下车补啊。”售票员喊。

“要说售票员大姐也是真辛苦，一样坐车她还得老嚷嚷。换个不负责的也就一边眯着不言语了，谁受损失？国家受损失。钱也一分不进大姐腰包。要是大姐自己的车肯定就白拉咱们了是吗大姐？”冯小刚歪头朝售票员笑。

“别跟我臭贫，你们这样的我见多了。”

下了公共汽车，二人昂首阔步向紫禁城走去。

“哟哟，这故宫真雄伟壮丽，天黑得什么都看不清瞅着还那么激动人心。你说咱古代劳动人民怎么就那么勤劳智慧？想起来我就骄傲我就自豪，怎么我就成了中国人了？”于观仍絮叨不休，触景生情。

"行了，你夸故宫它哪儿听得见？"冯小刚都听腻了。

"不是，我就是有点刹不住车，瞧这护城河的水跟金子似的。这树这草这花这人怎么都那么绰约、楚楚可怜，惹我一脸柔情……好了，你发现老太太那闺女了吗？"

"那趴着一黑影，是不是？"冯小刚朝暗处一个方向努嘴。

"有点像，小脸煞白，晃来晃去，快！直眉瞪眼冲城墙去了。"于观撒腿便跑。

"姑娘，姑娘！"于观边跑边喊。

"喊我吗？"一个正在和恋人接吻的姑娘拔下嘴问。

"不，不是喊你。您继续。我喊那不幸福的呢。"

"姑娘，我送您几句话，不收钱。"于观气喘吁吁站定说。

"你说。"那个正在城墙边磨蹭的姑娘好奇地看着他。

"一年前，我也是在这儿撞的墙，被人救下了，一年后的今天，我觉得我当时特傻。"

"你怎么说变就变呢？我觉得一个人最重要的就是自个有主意善始善终。"姑娘又看刚跑到的冯小刚。

"这里有一个原因我告诉你：因为我看见了你。可能你没有印象，可我的记忆是不会错。当时从昏迷中醒过来，走到病房窗前，准备再次寻死往楼下跳时，我看见了你。你正从大街上走过，穿着花裙子，像个花蝴蝶。我的泪当时就下来了，世界上还有这么多美好的事物，我怎么舍得去死？当时天是那么蓝，阳光是那么充足，你又是那么青春无忧，显得我是别提多阴暗多渺小了。"

"这我可以作证，三天后我去看他，他泪还没干呢。正在大口吃饭，严肃地对我说：为了你他也要活下去哪怕根本不认识呢。"冯小刚累得弯腰喘气。

"那你当时怎么没喊我呢？"

“我不配呀，我自惭形秽呀。当时我把你想得特高，怎么也得是个博士才刚够让你蹬的。我发誓我不混出个人样儿来就不去见你。”于观煞有介事。

“那你混出个人样儿了吗？”

“惭愧。”他茫然地看冯小刚，“我算混出人样儿了吗？”

“我解释一下啊，他一直暗暗关注着你，留意着你，同时在人生的路上发奋图强，逐步实现给自己订的第七个三年计划。今儿要不是看见你苗头不对，他还不露面呢。”

“就是说，我要死得好好的，一辈子也未准见得着你。”

“我不能成为你生活中的负担呀。我要成，就得成为你生活的光明，让你应有尽有，一生快乐。你值得，可我就不容易了。”

“他这个想法其实是很高尚的，要么带给人家幸福，否则不如谁跟谁都没关系。何苦让你再为他担忧呢？”

“真高尚。”姑娘笑望着二人。

“不不，愚忠而已。”于观谦逊地低下头。

“你们说的这都是真的吗？我怎么听着那么过分？也就赶上我今天心情不好特别需要安慰，平时谁要跟我这么说我都觉得他是流氓。”姑娘又板起脸。

“那是因为我们不善于表达。不光你这么说，别人也说过：怎么好话从你们嘴里说出来也不像好话了？我们特清楚自己这缺点。”于观忙解释。

“我是说得有点言不由衷，可这意思您还是理解的吧？”

“嗯，大概其能猜出一半。”姑娘点点头。

“那就行了，那我们的目的就达到了。总而言之一句话：您的生命不属于您自个。您要时刻想到，多少不相干的人把理想寄托在您身上呢。”

“您手里攥着多少条人命啊！”冯小刚深情地加了一句。

“我真得好好想想了，我这么活着还有什么意思？无缘无故该着谁欠着谁一大堆似的。”姑娘沉思。

“怎么话又说回来了？”于观大惊。

“是啊，我本来自私自利活得挺好，吃饱了饭练练气功，看能不能穿墙越脊。谁想撞上你们，云山雾罩说了这么些个不着边儿的话，活生生地让我觉得自个有多大罪过似的。算我倒霉，今儿出门没挑日子。”

姑娘一拧脸甩手走了，撇下两个人呆呆地站在原地。

“捧砸了吧？捧出不是来了吧？怎么跟人家长交代？”

“我是坚决想不通，怎么就能捧出条人命来？”于观抱着脑袋一下蹲在地上。

“我真感到自己能力有限，不行，干不了这活。”于观说着泪就下来了，“还是换个能力比我强的同志干吧。”

“他怎么了？”丁小鲁问和于观一起回来的冯小刚。

“晚上那人没捧好，他心里难受。”冯小刚说。

“不行，不干了，说什么也不干了！”于观暴躁地在屋里走来走去，想想眼泪又下来了，“我这人怎么这么笨？这么点小事都干不好。”

“谁都有偶失前蹄的时候。”丁小鲁安慰他，“都没干过，都是摸索着来，犯不上太跟自己过不去。”

“可是群众对我们寄予这么大的希望，我这个样子怎么对得起人家？”

“这不像你啊于观。”杨重走上前，“这不是你的性格，怎么能一遇困难就退缩？你是个弹簧啊你不要忘了。”

“可我的确是干不好这个工作，我的压力太大了，我的神经……”

“够了！不要看你这副软骨头的样子！”冯小刚大喝一声打断他，“你干不好别人就干得好吗？我们不都是在不断栽跟头的过程中逐步成熟、老练起来的？我真没想到你是这样一个人，小小的一点挫折都经受不起。好啦，要不干我们都不干了！回家休养吧！明哲保身吧！由着自个性子来吧……”

冯小刚说着也流下泪：“我就没有自己脾性吗？我就没有个人的爱好吗？可咱们要都不干那让谁干？群众可都在眼巴巴等着我们呢。”

众人皆默然，于观垂下头。

冯小刚走到于观面前，慈祥地看着他说：

“我理解你，也够难为你的了。可你想过没有你在这个时刻动摇、退缩，会对同志们的士气有多么大的影响？你又会成一个什么人？”

于观悚然一惊。

“好好想想吧，晚上睡觉前好好想想吧。”冯小刚擦擦泪，走了。

“快睡吧。”丁小鲁对一直愣愣地坐在灯下的于观说。

“睡不着哇。”于观叹了口气，转过身，“冯先生这几句话压在心里沉甸甸的。”

“别去想它了，抓紧时间睡吧。”

“我真错了吗？”于观问丁小鲁。

“问你自己呀。”丁小鲁说。

“就是这个问题想不通。我觉得自己没错。我确实感到自己很难胜任捧人的工作，不瞒你说，我越来越对自己产生怀疑，我这么做到底有利于谁？工作越顺利，心里越是堵得慌。”

“你没错。”

“可我要没错，那就是冯先生错了。冯先生会错吗？真不敢往下想啊……”

八

“不不，我们不能接受您的请求。我认为您这个动机有问题。这不是一件好玩的事，而是一桩充满艰辛、饱含血泪、需要极大献身的事业。”于观没精打采地对个小孩说。

“我就是把这当事业对待的。您想我学习也不好，每门功课都不及格。连我爷我奶都发愁：这孩子长大能干什么呀？除了嘴甜任嘛不懂。”小孩振振有词。

“你错了，我们这个工作不是嘴甜就能干的。我们也不要没有文化的人。我建议你还是先回学校上学，如果将来有志于做一名吹捧家，大学毕业再来找我们，起码也得是个大专学历。小同学呀小同学，任何工作都需要有科学文化知识，否则你将一事无成。回去吧，好好学习，先学一身为人民服务的本领再说其他。你聪明，一看就聪明，除了核物理别的你都一学就会。没准将来艾滋病被你治了也说不定——造福人类吧你就！”

“哟，宝康来了，老久没见，怎么一进门就笑嘻嘻的？这后边跟着的是你什么人？嗬，赵老师，更年轻了，大街上遇见我得把您当成您儿子。”马青笑着起身相迎。

“听说你们几个改当吹捧家了？我正到处找人吹我呢，感觉特别需要这个。来吧，好好吹吹我，我还跟过去一样，出高价。你们几个全包了，别的客就不要接了——多少钱一天呀？”宝康笑着挨个握手，大模大样坐下。

“我们不卖。”于观回答。

“先别把话说绝，先问问我能出到多少价。”

“一万两银子一天我们也不卖，一个大子儿不花我们照样笑脸相迎，我们这是为人民服务。”

“哟哟，跟真的似的。”

“没想到我们觉悟提高得这么快吧？你以为我们这二年白混哪？赵老师，坐，近来好吗？有需要我们效劳的尽管吱声。”于观冷笑，转向赵尧舜。

“没事，就是跟宝康一起来看看你们，都挺好。”

“都挺好就好。前两天我们还念叨呢，老没见赵老师抛头露面，怕是叫外国请去演讲了。”

“怎么着，死活不接待我，对我有意见？”宝康敲桌子。

“不，您需要我们会像对其他客人一样接待您。只要别提钱，提钱伤感情。”于观态度委婉地说。

“我需要！”宝康一扬脸。

“马青、杨重，你们捧一道宝康。”于观起身让开。

“说吧宝康，你想怎么捧？”杨重盯着宝康问。

“千万别不好意思赵老师，您的品行高超已经有口皆碑翻不了案了。”

“我吧，从小挺羡慕一种职业，阴差阳错成了现在这样儿。也不是现在这样就不好，但你是明白人你知道，童年的梦对人的一生会有多大影响。”

“知道知道，您往下说。”

“嘿嘿，真不好意思。”

“你瞧，赵老师，我就烦您这知识分子气质：羞涩。痛痛快快的，跟我您还藏头遮尾的干吗？您就是说您想当飞贼我对您的印象也一样富丽堂皇。”

“你把耳朵凑过来，我告诉你，我就是想当一回专门夜里逮人的盖世太保！”

“嘿，赵老师，你怎么跟我想的一样啊？”

“你也这么想？”

“没错。穿着黑皮大衣戴着礼帽，夜里十二点以后到人家彬彬有礼地敲门。”

“没错！敲开门进去后照旧彬彬有礼，先道歉再逮人，不忘欣赏一下墙上的油画，恭维几句主人家的艺术气氛和夫人的美丽端庄。干的是肮脏勾当可透着相当高的文化素养。”

“还应该在钢琴上弹一段巴赫的曲子。”

“没错！再跟夫人干上一杯香槟，聊几句毕加索、莫奈。即便是威胁也是相当优雅，说着上流社会的法语和那些狗汉奸狗特务区别开来！”

“太对了！什么纺绸褂、水银镜，比皮大衣呢礼帽档次差多了。”

“你觉得这事难办吗？”

“一点不难办，几件皮大衣好凑，礼帽我也有路子能借来。”

“可我不想抓一般的中国老百姓，我就想闯入一对外国夫妇家里当不速之客。”

“少数民族行不行？我认识一个乌孜别克人，经常冒充外国人进出友谊商店从来没人敢拦过。”

“像就行，主要是找那感觉。”

“信在哪儿呢？你倒给我拿来瞅瞅呀信是写给我的你干吗扣着不给——拿来拿来！”宝康急了，扑过来搜杨重。

“信是瑞典文，你看不懂，回头我给你翻译出来再给你。”

“我就要看原文，我不懂瑞典文可是懂英语呀。”

“那也得等我上荣宝斋给你裱了，镶了框子再送来。这信你一定得藏好，否则博物馆肯定得来找你。”

“我不捐，我肯定不捐。我死后这信我孙子就能揣着上索思比拍卖去了。”

“哎，宝康，我那天看报，报上有两人为你吵架。一个说你是李白，一个说你是杜甫，你自己觉得你是谁呀？”马青问。

“还有比他们俩更好的没有？我就是那更好的。”

“两人还争哪，一个说你的作品寿命有一千年，一个说只有九百九十九年，你觉得他们谁说得更准一点？”

“老小瞧我了，我觉得起码不比李后主的寿命短。他也就是一句‘一江春水向东流’，我除了跟他一样愁还有好多哲理呢。不行，我不能跟你们聊了，光聊天把正事都耽误了，哎，你们谁知道瑞典大使馆的电话号码？”

“查 114。”杨重说。

“我用汉语问，她们能告诉我吗？”

“带点口音啊。”

“我觉得他们真不负责任，信寄出那么长时间没有回信也不知道再打个电传查查，怎么就那么相信中国邮政的效率？”

“怎么敢这么对待宝康同志？这不是捉弄人吗？”于观大怒。

“开玩笑。”杨重分辩。

“什么开玩笑？工作就是工作怎么能开玩笑？你们开玩笑他当了真，兴冲冲跑到瑞典人那儿去肯定挨一顿臊自尊心怎么受得了？你们这是严重违反捧德的行为！”

“宝康那人就欠这个，我们不给他垫砖他也得揪着自个鸡巴往半空中跳。”

“他是他，你们是你们。我不管顾客是什么操行，但我要求我的工作人员遵守职业道德。你们违反了这点，我就要批评你们！作为一个吹捧家我就要对你们提出更高的要求，怎么能混同于一般老百姓呢？”

“于观，你别生气。”丁小鲁劝解。

“我不是气，而是难过。捧德问题我再三讲过，现在居然还是发生这样的事情，令人痛心！我的话你们是当耳旁风了。你们觉得自己了不起是不是？比别人聪明伶俐更会绕着弯子骂人是不是？你们知道你们小小得逞的同时你们丧失了什么？你们丧失了做人的善良！”

“别说了于观，你没看他们俩泪都快垂下来了吗？”

“现在哭了，当初不是挺得意的吗？你们能耐，你们走吧，我这儿不需要爱耍小聪明的人！这是一个严肃的工作我不允许用不严肃的态度对待它！”

“我们错了。”杨重说。

“下回不敢了。”马青也说。

“给他们一个改正错误的机会吧于观。年轻人犯错误上帝都会原谅。”美萍也替他们俩求情。

“让他们写检查，深刻认识自己错在哪儿，为什么错，挖一挖思想根子。光承认错了，不认识自己错在哪儿就不可能彻底改正错误，将来一遇机会就有可能再犯。我不是和你们两个过不去，我是痛恨这种行为。这个世界爱和理解太多了吗？我们是把爱和关怀传播到人间的天使啊！”

“我对不起组织，对不起生我养我的人民。”马青先哭。

“哭吧，让悔恨的泪水冲刷去你们心灵上的污垢，哭完去向宝康道歉，诚恳地道歉，以博得人家的原谅。”冯小刚在一边轻声道。

“哎哎，哭完我们就去。”马青连连点头。

于观心情沉重地站起来，对大家说：

“同志们，通过杨重马青这次所犯的错误，我们大家也要吸取教训。在今后的工作中一定不能掺杂个人感情，不能凭个人的喜好对待顾客。我们做这项工作，就是要受委屈，遭蹂躏。可能有一些不理解我们工作的人会讽刺、挖苦乃至侮辱我们，大家一定要正确对待。要知道我们工作的全部意义就在于一点：把别人的欢乐建筑在自己的痛苦之上——我说得对吗冯先生？”

“你精辟地概括了我想却一直没能表达清楚的思想。”冯先生庄严地点头称是。

九

早晨，大雨瓢泼，屋里昏暗得如同黄昏，一声炸雷，闪电贯穿长空。正在昏睡的于观蓦地惊醒，惊恐地张望了一下四周，又沉沉睡去，他脸上布满倦容。

屋外，丁小鲁站在房檐下看雨。刘美萍打着伞踩水而来。

“于观睡了吗？”她问丁小鲁。

“刚睡下。”丁小鲁轻声说，“咳了一夜，早晨我给他吃了两片安眠药。”

“谢天谢地，终于睡了。”刘美萍虔诚地在胸前画十字，“老天保佑他多睡会儿吧。”

丁小鲁瞅着她笑：“你什么时候也信起这一套了？”

刘美萍不好意思地笑："病急乱投医。"

马青、杨重合撑着一把伞，嘻嘻哈哈一路跑着趟水过来。马青大声问：

"于观起来没有？"

"嘘，小声点，刚睡下。"丁小鲁手按唇道。

"可我们有急事找他。"杨重说。

"天塌得下来吗？天塌不下来再过两小时你们再进去。"丁小鲁低头看看腕上的手表，"他太累了。"

于观在床上沉沉昏睡，睡得十分痛苦，唉声叹气，不断磨牙，脸容狰狞颓丧，被子掉到了地上。

刘美萍轻轻把被子捡起来，盖在他身上，他一下醒了，睁开布满血丝的眼睛喝问：

"哪一个？"

"我，美萍，你被子掉了。"

于观一脸怒气，起身质问："我睡一个觉可以吗？我这个要求过高吗？哪个用你来献殷勤——你给我外边站着去！"

美萍哭着跑出去。

丁小鲁闻声跑进来："怎么啦？又跟谁生气呢？再睡呀。"

她上前要扶于观躺下。

于观拿起一支烟："不睡了，刚合眼又给搞醒。"

他看到马青杨重在门口探头："那是谁在门口探头探脑？"

"噢，是杨重他们来找你汇报个事，我给他们拦下了，让他们过两个小时再来。"

"叫他们进来吧，来吧来吧。"于观向他们招手。

二人笑着进了屋。

冯小刚匆匆忙忙从街上披雨衣穿马路过来，看到美萍站在房檐下抹眼泪，停下关心地问：

“怎么啦小鬼？怎么自己在这儿哭开鼻子了？”

待知道原委后又和蔼地批评美萍：“应该让于观同志睡觉嘛，于观同志睡觉时我都不去打搅他。好啦好啦，他发火是可以理解的，我们都要体谅他嘛，不要伤心了。”

冯小刚跨进屋里，笑迎向于观：“哦，人来得很齐嘛。”

“有什么事吗冯先生？”于观笑问他。

“不忙谈，你先休息。”

“哪里还有时间休息呀？来了就谈嘛。”于观笑说。

“于观同志最近身体怎么样啊？”冯小刚问丁小鲁。

“不好。”丁小鲁说，“总是咳嗽，夜里睡不好觉。”

“这我可要批评你于观，不能再这么玩命干了，你想当第二个李文华呀！”

“垮不了。”于观乐呵呵地说。

“不要逞强，我们都不年轻了。”冯小刚半真半假地警告他。接着他又像刚想起来似的笑着说：“刚才我过来，看到美萍一个人在门外抹眼泪，不知出了什么事。”

于观叹了口气，对丁小鲁说：“让她进来吧。”

美萍抽抽噎噎地挪进屋，不肯到于观床前来。

“过来。”于观拉着她后长叹一声，“我不过是说了你一句，你就这么委屈。我也是急呀，好容易睡着了又被你搞醒了。不要哭了，你是好心。我向你检讨，不该发火。”

“我不是委屈自己，我是恨我那么没眼力见儿，偏偏您刚睡下我就多事——我是心疼你啊！”

于观刚要下床，便感到一阵晕眩，腿一软，身子栽到丁小鲁身上。

“哎呀，”丁小鲁一摸他手惊叫，“你烧得烫人，今天不要再出去了。”

“是啊，今天就不要出去了，歇一天吧。”大家也纷纷劝。

“我怎么能躺得住？”于观诚挚地对大家说，“我一闭眼就有那么多双充满企盼和渴求的眼睛在我眼前晃动。李先生不远万里回国就是想听听乡音体会体会乡情；王同志受了一辈子欺负仅仅想在有生之年当一回侠客；刘小姐不图钱不爱权只不过希望有一天出门让人围观；老秦是多老实忠厚的一个人，根本没想过自己捞什么好处，就是看到科长工作辛苦，业余时间一点乐趣没有，想让他开心一天——我忍心让他们失望吗？”

“去吧去吧，”大家含着泪说，“咱们就成全他吧。”

关科长一看就是个硬骨头，一身正气，两袖清风，一进餐馆看到满满一桌鸡鸭鱼肉便皱起眉头。

“你们请我来干吗呀？”

“没事想跟您结识一下。”于观咳嗽着，用手帕捂着嘴，起身相迎道，“早听说您为政清廉，朴素大方，既坚持原则又富有人情味，在您那一级干部中是个优秀的代表。”

“你们这都是听谁说的？”

“凡是在您手下工作过的同志，调走后都满世界宣传您的事迹。我们和您生在同时代能不有所耳闻略晓一二吗？”

“说您是位卑不敢忘忧国，人正不怕影子斜。参加工作以来，光人民币就上交了几十万，烟酒糖茶不计其数，没一个春节是在家过的，哭了七次不是看到同志们三代同堂就是部下房顶漏了雨群众都给您数着呢。”杨重接上茬儿口。

“说您从小就有远大志向，上小学的时候就救过落水儿童逮过破坏分子。长大更是不闲着，当兵是个好兵，当工人是个好工人，当干部怎么能不是好干部？没事就去救火在街上见义勇为写了几十万字的日记还翻译了一本英文辞典中国作家协会差点吸收了您呢。”马青锦上添花。

“所以我们特佩服您，私底下发誓要向您学习，拿您当我们的榜样。被您比得我们除了惭愧还是惭愧。”

关科长冷笑：“少来这套！你们都是哪儿来的一批马屁精？无缘无故地跑来吹捧我我能信你们没目的吗？”

“真是没目的，真是单纯地觉得您特好。”丁小鲁也说。

“这不用你们说，我自己很清楚我自己干的事。你们光知道我不收贿，怎么没打听清楚我更不吃捧？”

“由衷地，发自内心地捧也不行吗？”美萍天真地设问。

“一概不行！”关科长右手有力地往下一劈。

“我不同意您这观点，这就是您自私了，光想着给自己保持个好名声。您想啊，现在像您这样值得捧的人有几个？该捧的不捧，群众怎么知道什么好什么不好？社会上的正气怎么树得起来？这不单单是捧你，捧的是一个方向。我觉得我们这些人吧，除了洁身自好还应该多有点社会责任感。”冯小刚站起来，大义凛然，掷地有声。

“我认出你了，我听说过你们，你们是一帮职业吹捧家吧？”关科长冷笑，背着手走到冯小刚面前端详他。

“我们是干什么的并不重要，重要的是我们说的对不对？您要是个坏人，贪官污吏，那我们这么干是要打屁股的。”

“收起你那套花言巧语吧！哪个要听你这些屁话？别以为你干得很巧妙，我早就认清你是什么人了。我提醒你，你这么下去很危险，搞的什么名堂吗？”

“……”

“年轻轻的不学好，就爱在歪门斜道上动心眼儿。你们看看你们周围，那么多优秀的青年在各自的岗位上勤勤恳恳地工作，为民族为社会的进步努力贡献。唯独你们，游手好闲，不务正业，成天就是混，混不下去了，居然想靠当帮闲、吹捧别人过日子。你们知不知道人间还有羞耻二字？你们父母的脸都让你们丢尽了！不要讲做革命事业的可靠接班人了，你们还有点新中国青年的味道吗？你们还算人吗？”

关科长义愤填膺，怒不可遏，说得众人一个个都低下头，默不做声。美萍脸红了。

于观忍不住剧烈咳嗽起来。

片刻，于观喘着，眼泪汪汪地看了眼大家，大家也都偷偷拿眼觑他，只有冯小刚信任、勉励地朝他颔首。

于观:“好久没听到这么尖锐的批评了。”

“是啊。”杨重抬头望着关科长道，“早该有人这么对我们大喝一声了。”

“对不对吗我说的？”关科长忧心忡忡地说，“我的话可能是重了些，可我看到你们现在这个样子，我没法不让自己激动。”

“虽然您的话说得重，可其实是为我们好，是不是大家？”于观连连咳嗽，咳得弯下腰。

“没错，”马青说，“有些人总夸奖我们，但其实他那是嘴不对着心，心里不定怎么想。您这才是真正关心我们，爱护我们。”

“爱之深恨之切嘛。”丁小鲁补充，“恨铁不成钢。”

“你们能这么认识问题就好，我是不怕得罪你们。结怨也好，回家背地骂我也好，我有什么就要说什么。”

“怎么会骂您呢？我们就希望别人坦率地对待我们。好就是好，不好就是不好，愈直爽愈不客气我们就愈敬重他。”于观挣扎着，强打精神说。

“真诚的意见现在难得听见啊，你就是花大价钱也没人对你说。”冯小刚适时补充了一句。

“别看关科长骂了咱们一顿，可我真觉得今天请关科长吃饭是请对了——值！”马青一拍桌子。

“我这人就是这么个丑脾气，也不怪有些人说我不近人情。我公开对这些人讲，我就是不近人情！这个人情我看是近不得。”

“其实您这恰恰是最近人情！都像他们，到头来恐怕连做人的基本信念都丢了。”大家一致表示赞同。

“关科长关科长。”于观握住他手，“您能给我留个地址吗？哪天我到您家跟您好好聊聊。您的话对我特别有启发，令我深思，我特想找个机会跟您说说我的苦恼。其实我这人特空虚、特茫然。社会上好多现象我都特瞧不惯，又找不着办法解决，所以就有点自暴自弃，破罐破摔，得过且过，当一天和尚撞一天钟既辜负了人民又放荡了自己……”

“这就错了吗。对待不良现象有两种态度：一种是消极的，一种是积极的。咱们约个时间哪天你来吧，我也很愿意和你们聊聊。你们都很聪明，我真是不愿意看到你们糟蹋了自己的聪明。我们的事业需要年轻人，年轻人是早晨八九点钟的太阳，希望寄托在你们身上……你怎么啦？”

于观两眼一翻，昏了过去，一头栽进关科长宽厚温暖的怀中。

“他怎么啦？”关科长惊叫，身子往后一撤，若不是杨重眼疾手快，一把托住于观，他非摔个头破血流。

大家围上来，七手八脚把于观抬到沙发上躺着，又掐人中又捏脸蛋。

刘美萍对关科长说：“他发烧好几天了，一直带病坚持工作，你没瞧他嗓子都哑了吗？”

“醒醒，你醒醒。”大家焦急地呼唤于观。

于观在大家的呼唤中慢慢睁开眼，醒来就一把抓住关科长，声音嘶哑地说：

“您的话句句说到我心坎上了……”

“行了！”杨重急了，冲他大吼，“这儿还有我们呢，你就别惦记工作了。”说完眼泪扑簌簌掉下来。

于观又昏了过去。

“叫救护车叫救护车。”冯小刚粗声粗气地喊。

“他就是这样，”美萍跺着脚哭，“心里永远装着别人唯独没有他自己。”

于观醒来已是躺在雪白的病房里，胳膊上吊着输液瓶子，四周静悄悄的。他看到杨重的一张脸正聚精会神地鸟瞰着他。

“还记得发生过的事吗？”

于观无力地摇摇头。

“你昏倒在捧人的岗位上了。”

一阵欢声笑语，丁、冯、马、刘诸人捧着鲜花、水果拥进病房，一齐围上来嘘寒问暖。

“给你看件东西，你看了准喜欢。”

美萍亮出一面大红锦缎金色流苏的锦旗，上书八个金光闪闪的大字：巧舌如簧，天花乱坠。

“还有送匾的呢。”马青美滋滋地说。

于观吃力地张开嘴，喃喃道：“我们就做了这么一点该做的，群众给了我们多大的荣誉啊。”

“是，我们不能自满。”杨重点点头，“匾和锦旗全当鞭策了。”

“于观呀，”冯小刚坐在床头说，“我们大伙商量了，你为工作累病了，我们也要为你做点什么。你有什么愿望尽管说，我们一定让你尽兴。”

“说吧说吧，你该享受享受了。”大家七嘴八舌说，“对了，我们还不知道你的人生梦想是什么呢？当大使？当表演艺术家？”

大家争相提问。

于观嘴皮子动了动。

“你说什么？”丁小鲁把耳朵凑上去。

少顷，她抬起头，严肃地望着大家：“他想睡觉。”

大家脸上的笑容一下消逝了，一个个蹑手蹑脚悄悄退出病房。

许爷

一

那天，我在街上叫了辆出租车去看一个朋友。在车上，我和司机随意聊了几句。那司机突然对我说：“我见过你，你是许立宇的朋友。”

我看了眼司机贴在前挡风窗上的服务牌，才想起许立宇原先也是这家出租车公司的司机。那时我常去车队找他，和他们那儿的许多司机都面熟。

司机问我最近见着许立宇没有。我说没有，很久没他的消息了。

司机又说，听说许立宇在日本被判了死刑是真是假？我看了他一眼回答不知道，我是头一次听到这消息。

到了目的地，司机把车开走了。在朋友家我玩了半天，一起出去吃了顿饭，很愉快地回了家。

晚上入睡前，我想起那个出租车司机的话，不觉心中暗惊。不是很相信，但又没理由断然不信。第二天给一个也认识许立宇的朋友打电话，顺便提到这一传闻，那个朋友立刻信了，并说：“我就猜到他早晚有一天会有这一步——折腾吧！”

尽管此公如此肯定，我还是心存狐疑。想来在日本被处极刑定是杀了无辜，可我认识的那个许立宇，固然不良不莠，断无杀人胆量。

许立宇和我是中学同学，但问起我们班的其他同学，却没几个记得起他的。他初三便退学回老家插队了。原先在班里也很蔫，不声不响，个子又矮，如果我不是和他住在一个院，平时又常驱使他为我充役，后来有一段时间（在他开出租车期间）过从甚密，我对他大概也未准会留有多深印象。

至今我保存的一张旧照片上还留有他当时的模样。那是张全班同学初中毕业时的合影。他站在我身边，由于个矮，被我的肩膀遮住了下巴，他拼命踮起脚尖也只露出一个额头和一双眼睛，看不出是在微笑倒仿佛面露惊恐。

从这张可怜巴巴的小脸上无论如何也看不出此人具有杀人所必备的豪气与激情——再平庸不过的脸了。

倒是站在我另一侧的孙玉新，当时我们班最漂亮、学习成绩最好的男生班长，一望可知吉凶未卜。在这张数十人群集、人头人脸密密麻麻的照片上他是那么醒目、突出，眼中显见一种攫取、一种神往、一种执著，简言之，小小年纪便毫不掩饰地流露出强烈的欲望。拍完这张照片三年后，他便被处决了。他死得很不光彩，或者说很可耻，他用残忍手段强奸并杀害了邻居的五岁幼女。

二

许立宇曾经把我当做他最好的朋友，他也的确表现出了一个朋友的侠胆和义气。记得初二时我们去金笔厂学工劳动，工厂的管理松懈，我们都大量盗窃瓷笔套和铱金笔。后来事发，在校方和厂方的严厉追究下，我们人人自危。我对名誉损失的畏惧和我对金笔的贪婪恰成正比，在我的暗示下，许立宇毫不犹豫地挺身而出，替我承担了那份罪责。老实说，对他的这份侠义我并没有感到丝毫的良心上的歉疚和不安，相反，我认为这是我给他友谊理所当然的报偿，否则才是不仗义！

我并没有把他看成对等的朋友，不管他多么无愧。原因很简单，也很令人惭愧（现在我有勇气承认了），他的父亲是个司机。

不管社会学家们摆出多么有说服力的证据来证明我们是个人人平等、职业无分贵贱的国家，而实际上我们社会中一部分人蔑视另一部分人的风气仅略强于印度。从这个意义上说，我们的确是个有自豪感的民族。

在我们那个连住房都按军阶高低划分得一清二楚的部队大院内，一个司机及其家庭的社会地位可想而知。

许立宇的父亲其实在一九三九年便志愿参加了家乡的抗日游击队，由于粗通文墨，作战勇敢，在这支游击队被八路军收编后很快升到连长。如果正常发展，到今天混得再惨也能以副军职离休。可惜在抗日战争临近胜利时，他的团长因对根据地土改政策不满，率部投敌了。这位团长也并非地主子弟，而是正牌的湖南老红军，皆因和当地一个地主闺女谈恋爱，壮士一怒为红颜。许立宇的父亲倒是颇有正义感，拒绝了在随之而后的国军改编的更高委任，卷起铺盖回乡了。直到全国解放，抗美援朝开始才再次入伍，当了一名运输团的卡车司机。他是朝鲜战争中的一名英雄司机，受到过“志司”嘉奖。熟知那段历史的人都知道在朝鲜前线一个运弹药的司机会经受什么样的考验。和他同时入朝的司机他是唯一的生还者。

回国后他一直给一名将军开座车。那位将军在“文革”期间权重一时，曾在他接近退休时让他重新穿上了军装，安排了一个副师职的位置。但很快，“九·一三”之后，那位将军被褫夺了一切名衔，许立宇的父亲也被取消了军官待遇，又成了一个司机，虽然是级别最高的司机。

许立宇很想当兵，那时的孩子都想当兵。我们院的小孩集体当兵时连不到十五岁的都走了。

他只能回老家插队。

三

我再次见到许立宇时已经是八十年代中期了。那时我已经从部队复员，在一个单位混饭吃。那时街上跑着的出租车已经很多了，坐出租车正是一种昂贵的时髦。那天我正坐在办公室里打算盘，一辆银色的“雪铁龙”车开进院里，停在楼前。吴建新和一个大黑个子下了车喊我。

我打开窗户趴在窗台上和他们说话。

吴建新问我还认不认识这个人——他一指身边的大黑个。

大黑个子冲我龇着一嘴白牙笑。我实在认不出他是谁。那个时候只有最装腔作势的人才穿西服打领带，而这个家伙就穿了一身笔挺耀眼的西服。我想里根要是黄种人也就是这样了。

他甚至戴了两只金戒指。

大黑个对我说他是许立宇。然后热情邀我出去吃饭——坐他的车。

我不想让他看出我没坐过“雪铁龙”，很矜持地坐在后座什么也不问，虽然我很想把车窗放下来，很想知道烟灰应该弹在何处。

如果这辆“雪铁龙”是个乐队，许立宇就像一个尽情的指挥，让每件乐器都尽其所能地发音。他熟练地操纵着车，在车流中像条鱼似的钻来钻去。他的车载音响播放着当时我闻所未闻的摇滚乐。他始终在大声谈笑，笑容开朗，语调自信，不时松开握着方向盘的右手作一个对一切不屑一顾的手势。

这一切都给我一个世界是他的感觉。这感觉令我陌生，包括许立宇本人。

我们在一个当时刚开张、最体面的法国餐馆坐下来，成群的男侍围上来按座递菜单，环列四周听候吩咐的景象使我感到世道确实变了。

我不得不同意喝白葡萄酒和矿泉水。看得出吴建新对点菜和我一样深感棘手。唯有许立宇顾盼自如，如鱼得水。他显示出对法国人的饮食习惯和这家餐馆的法国厨师的手艺很熟悉的样子，很在行地为我们推荐了我们能吃的东西，特别嘱咐男侍给我们二人的牛排要“煎得老一点”。他自己则只点了完全由生蔬菜组成的特色沙拉，可以想见他奢侈得已经咽不下任何油腻的食物了。

我相信，许立宇还没庸俗到要在我们面前摆阔和看我们笑话的地步。真正生活优越的人面对奢华决不吹嘘或沾沾自喜地如数家珍，只会有一种表情，那就是厌烦、冷漠。这一切已经习以为常了吗！要是再诉说一下对粗茶淡饭布衣陋居的向往就更像了。

我们叙旧，津津有味地回忆一些空洞的往事。我很感激许立宇对我谈论时所使用的平等的口吻。这感激使我倾听他的谈吐时不自觉地浮起一脸谀笑。每当我发现自己又在献媚时心中便懊恼不已。

饭后结账时，我想都没想要作一下付账的姿态，只是默默地看着许立宇从他那只精美的皮钱夹里厚厚的一摞钱中飞快扯出若许，放在男侍端着的银盘上。

这顿饭我吃得很压抑。连许立宇都注意到了这一点，他指着我说：

“你怎么不爱说话了？你过去不是挺能说的吗？”

“是生活……”

许立宇和吴建新都笑了。其实我根本没有开玩笑的意思，我说这话时内心很酸楚的。

吃饭时，我和吴建新共同有个默契，我们看出许立宇想挑我们问问他现在的生活状况，我们就是不问！

四

我自认还是有自尊的，这自尊表现在只要许立宇不主动来请，我决不先去找他。吴建新就不同了，他有一句口头禅：“管他哪！”他对我说：“这有什么不好意思的？哥们儿！丫有钱就吃他！”

他是真拉得下脸绑许立宇的车坐绑他的饭吃。他刚转业回来，工作还没安排，似乎也并不急着去上班。每天早晨一醒，脸也不洗牙也不刷，就打电话给许立宇的车队，让他来车接他去吃早茶。许立宇车来了，他又不惜绕城半周去我们单位接上我，然后沿着一条条大街挑刚开张、最时髦的餐馆去吃。吃完早饭吃午饭，一天都在街上吃，不管有没有胃口，只要是没吃过的馆子一定要进去享受一番盘桓一番。看着他不歇气地顺序将菜谱上最贵的菜一排排点下来，杀人不眨眼使我心跳都不免加快。

我对他说：“没必要点这么多菜，吃不了。”

“没想都吃，摆着，看着——高兴。”吴建新笑说。

“你可真够狠的。”我笑，然后看许立宇。

“是不是没事，许立宇？”吴建新问许立宇，“你要心疼那就算了。”

“没事。”许立宇强作从容。

“我这是教你呢。”吴建新对他道，“光有钱不算什么，得养成糟践东西的习惯，那才是真正有钱人的派头。”

说完我们俩相视大笑。

我不知道许立宇开出租车一天到底能挣多少钱，想来不是金山银山，加上吴建新号了他的车当自己的专车用，他一天也没多少时间载客，时间长了，他也就扛不住了。

可只要他一犹豫，或答应得不那么痛快，吴建新就跟他翻脸。

有次吴建新打电话找不着他，专程跑车队找他，他也不在，说是出车了。吴建新就生气了，晚上他开着车来找我们出去吃饭，吴建新便指着他骂：

“你牛逼什么呀你！你丫不就是个开车的祥子吗？你还少在我这儿抖骚，我砸了你那车你信不信？”

许立宇解释：“确实是有客人包了一天车，跑了一天实在抽不出身，这不刚完事我就来了。”

“不去！吃你丫那儿顿臭饭有什么新鲜的？滚蛋，你以后甭他妈再来找我们。”吴建新正眼都不看他，挥手赶他走。

许立宇可怜巴巴地对我说：“你劝劝建新，他这人脾气太大。我是一开车的，人家客人包我车我能不去吗？再说我老不出车哪来钱供哥几个撮呀？”

“走吧走吧。”我拉建新，“人许立宇专门来请了，你就别拿糖了。”

“我今儿在地安门看见一新开的馆子，不错，咱今儿就去那儿。”许立宇低声下气地说，“我请罪还不成？”

“不去！哪儿都不去！你以为我多爱吃你那破饭哪！”吴建新仍不依不饶。

我在中间作好作歹：“这就是你不对了，人许立宇话都说到这份儿上，就差给你下跪了，你还怎么着——给我一面子？”

吴建新笑了：“不给。”

我叫许立宇：“那咱俩去，甭理他。”

吴建新也就笑着跟出来了。

路上，我问许立宇：“今儿宰了多少？”

许立宇立刻眉飞色舞地讲：“那傻逼，老帽一个，计价器都不会看，我把‘夜间’‘回程’全给他按上了，足足宰了他‘三棵’，下车还一个劲儿谢我呢。”

许立宇也就在吴建新面前话不利索，对外人，特别是那些偶尔有事乘他的车的衣着普通的男女态度绝对是令人望而生畏的。

有时我在他车上，路边有人招手叫车，他停车后一定要冷冷地先问清楚人家去哪儿，那神态仿佛他的车并非为公众服务仅仅是做好事顺路捎人家一段。那时候，出租车管理不严，只要客人不强调，他从来不按计价器，要多少钱张嘴便来，往往几倍于应收钱数。即便是按计价器，据我所知，他那架计价器也是经过自己调试的，每公里到八百米便跳字。

五

我不知道许立宇为什么那么在乎我们的交情。吴建新对他如果算不上欺侮也是有点成心祸害，而我尽管待之以礼也绝谈不上知己。从一切可以计量的方面他都不需要我们，我相信他只要拿出十分之一的感情都可以从别人那里得到真挚得多的友谊。

他在车队是很令人尊敬的。我们去他车队听到别的司机都叫他“许爷”或“大哥”，连车队的头儿都对他畏惧三分，见了面很客气地打招呼，主动上烟，对我们这些不知名的仅仅是许立宇带来的朋友也态度谦恭。

许立宇在车队似乎是一帮年轻司机的头儿，那些年轻人甘愿受他支使。他的话在那帮年轻人中很有分量，这从那帮人对他的每句话都报以热烈的反应和哄堂大笑中可以看出。

他极随意地和每个人开极放肆的玩笑。

他似乎相当乐意为他的同事介绍我和吴建新，一句简短的“哥们儿”透出他颇为有我们这样的朋友引以为荣。

如果不是跟着许立宇，如果是我单独来车队叫车，只怕我要对这些司机点头哈腰。

许立宇屡次邀我们去他家。吴建新是干脆拒绝，我却不过情面，勉强跟他去过几次。其实没有任何事，只是他领着我向他爸爸和哥哥介绍一番。我和他爸爸哥哥原先都认识的。他爸爸改开大轿子车后，我们经常坐他爸爸开的车去体育馆看球赛，七十年代中期北京的赛事相当频繁。和他二哥的见面更使我发窘，他二哥上中学时便是个体魄健壮的小伙子，非常喜欢摔跤和投掷铅球，曾蝉联数届我们那个区中学生运动会铅球投掷冠军。由于他的气质出乎其类于其他住平房的职工孩子，他引起了院里住楼房的全体孩子的愤怒。他们经常成群结队地拦截他，围殴他，几十人追打他一人。尽管那时我还是个孱弱的小学生，也曾狐假虎威地在大孩子们的唆使下朝他扔过石头。我记得那时他家孩子多，生活困难，他经常领着许立宇穿着破衣服来我们各楼的垃圾箱内捡废纸。我们几个年龄相仿的小孩最爱干的事就是看到他们钻进垃圾箱，便将一簸箕垃圾从垃圾道倾倒而下，看着他们灰头灰脸地从垃圾箱内仓皇而出哈哈大笑。

他二哥的个头现在比他还猛，块头还足，完全是个膀大腰圆的剽悍青年，其健美雄骏堪为中国人民雕像之模特儿。只是脸上已没有了他少年时代的桀骜不驯，极为懦弱，极为木讷。对于我的到来，像他父亲一样结结巴巴地客气了几句，便回到自己房间全无声息了。

据许立宇说，他二哥现在一家工厂当保全工，正在打家具准备结婚。

我见过一次他二哥的未婚妻，那是个黄瘦干枯、毫无姿色的青年妇女。

我对与许立宇家人打照面极不舒服，对许立宇的殷勤款待，诸如沏咖啡、开洋酒之类的举动更不舒服。

我毫不容情地拒绝了留在他家吃饭。

六

许立宇的虚荣是显而易见的，尽管他把浮浪子弟的玩世不恭和犬儒主义的腔调学得惟妙惟肖。他偶尔会在沉默良久之后漫不经心地开口道，他今天拉了某一位影视界的红星或万众瞩目的名歌手，“电视上看着挺漂亮，底下一看实在一般，脸上还有色斑。”

每到这时，吴建新便会尖刻地取笑他：“你肯定让人家签名了吧？”

“没有没有。”许立宇会说，“我还不至于那么浅薄。我就跟没看见一样，她坐车，我开车。”

“你得了吧，”我也奚落他，“你还不定觉得自己多荣幸呢，肯定巴结着乱献殷勤，帮着开车门是最基本的。”

“绝对没有！”许立宇严肃地望着我说，“我是那种人吗？我什么人没见过？我在乎谁呀？不瞒你说，她到一地方让我等候她去找人，我都没答应。我对她说：‘我从来不等中国人！’”

“你肯定没说这话，这都是你瞎编的。”吴建新道，“我还不知道你？”

“真说了。”许立宇十分焦急地分辩，“没说我是孙子！只不过不是原话。我跟她说这儿车多，再打也容易，我还有事去接人——没说我是孙子！”

他万分诚恳地望着我的眼睛：“我是那种人吗？你真觉得我是那种人？”

吴建新便斩钉截铁地回答：“你就是那种人！”

他也晃着眼睛瞅着许立宇：“要不你跟我们提这事干吗？你跟我们显摆什么？拉一唱歌的你跟着美什么？跟你有什么关系？就是英国女王坐了你的车她还不照样是英国女王你还不照样是个开车的？”

许立宇便脸红，讪讪地难堪：“我也没说我就不是一开车的了，我不过是那么一说。”

“你不是那种人。”我安慰他，“你要是那种人我们也不会答理你。”

于是许立宇如释重负，大骂世间那等花边小人，言表之激烈足见其对此等情状深恶痛绝。甚至说出放刁耍赖的话：“我就是一司机怎么啦？不高兴任是谁给多少钱老子也不伺候——不尿你这壶！”

“就是！”我推波助澜地给他垫砖，“认识你们是谁呀——谁怕谁呀！”

我和许立宇又拍肩又握手，抚掌相视大笑，其豪迈其自得不可一世。

吴建新冲我悄悄眨眼。

七

那时，我们的生活十分堕落。因为有了许立宇的车和他的钱包，为我们引诱那些轻浮的妞儿提供了很大便利。那时的社会风气已开始追求享受，但姑娘们尚未完全受到金钱腐蚀，尚未把自己当商品出售，还是很讲情调的，一顿饭就可以跟你上床。

我和吴建新几乎夜不虚度，天天走马换将，就像日本人到了香港疯狂采购。

我注意到许立宇对此的矜持与持重，他也和那些姑娘调笑，但始终保持距离，从未和其中一个哪怕动手动脚。他常常借口车里只能坐五个人，使夜载而归的姑娘头数保持在三缺一的水平，甚至不惜把一个姑娘孤零零地扔在夜阑人静的大街上。

我认为他畏惧单独和一个姑娘在一起。

我问他是不是童男子。他脸一红，连忙否认，大说下流话，以示对女人很精通。

我说你这就不正常了，很容易让人怀疑你生理上不健全。

吴建新也说你不要不好意思承认，如果你真是因为生疏，不知从何入手，我们可以给你派一个老师像教舞一样跳男步带你。

许立宇郑重地对我们说，他对和我们厮混的那些妞儿一个也瞧不上，他认为她们不够档次，不能引起他的兴趣。

许立宇的洁身自好和不肯同流合污的态度渐渐令我们深感不安，同时，也使我在狂放之后面对他有一种真挚的内疚。

我问过那些妞儿，许立宇在她们看来是否缺乏魅力，有些妞儿说不是，于是我便鼓励她们引诱许立宇，并因此许下了物质承诺。妞们兴致勃勃地主动挑逗许立宇，可许立宇的粗暴反应大出我们意料，令妞们无不感到扫兴、受辱乃至愤怒。

吴建新十分恼火，我也很不高兴，对我们来说，这近乎于一种对友情的不忠和背叛，差不多等于对我们本人的直接冒犯和贬低。

我们不能容许他一人逍遥法外！

我和吴建新态度强硬地找他谈了，使用了很多侮辱性的语言。我们指责他是伪君子、阳痿、梅毒患者、同性恋，最后干脆宣称他是“二尾子”[①]。

许立宇感到羞耻，感到受到了莫大的侮辱，激烈地反驳他不是，甚至要掏出生殖器让我们检验。

我们傲慢地表示不屑一顾，如果他真像他自己说的那么正常，就用实际行动证明他的正常罢。

许立宇气坏了，当晚便把一个和我们相熟的妞儿约来住了一夜。

第二天，我们还没起床，许立宇便一个人先从里屋出来，坐在我们床边洋洋得意地吹嘘他是如何干的她，他多么善于把持，既尽了兴又未泄亏了自己。我听着蹊跷，如此所为何来？但见他说得绘声绘色又不见更大破绽。

他走了后，我们便进里屋问那妞儿。那妞儿正在一个人懒睡，听到我们问，便说许立宇昨天夜里把她好一顿教育。说她年纪轻轻的何必要这么生活，家里人要知道她每天在外面这样鬼混还不伤心死。又说我和吴建新都不是什么好人，根本不会认真对待她，

①指阴阳人。

让她不要再来找我们了。他建议那妞儿去上个文秘或者缝纫学校，学门手艺，找个正经工作，并说他会帮助她的，如果她决心重新做人。最后还给了那妞儿二百块钱，让她今天就去交学费报名。就这么聊了一夜，连鞋都没脱。

“他还真是个好人，和你们不一样。”妞儿说，“说得我挺感动的，当时都哭了。”

我和吴建新又好气又好笑，问那妞儿是否打算重新做人。那妞儿也笑了，撇下嘴说：“哪那么容易？一说罢了。”

我们扣下她不让走，打电话把许立宇叫回来。吴建新说今天中午我们请你吃饭，老吃你不合适，该回请你了。

许立宇很高兴，直说不必太奢，找一个过得去的馆子就行了。

我们带上妞儿，一起乘车出去，找了个饭馆，可着二百块钱点了一桌子菜。席间，许立宇不时暗暗用鼓励的眼神注视那妞儿，我和吴建新看在眼里，忍不住笑，那妞儿也笑。笑得许立宇莫名其妙，傻笑着问：“你们笑什么呢？有什么好玩的事？”

我故意大声对妞儿说：“你真该去学门手艺了，老这么跟我们混家里人知道还不得伤心死？”

吴建新也说：“学裁缝怎么样？以后我的衣服都找你做，省得买了。”

说得许立宇脸色发白，不住看妞儿看我们脸色，又不得不附和道：“真是，你才十八岁，学什么也都来得及。”

“千万别辜负我们对你的期望啊。”我拍着妞儿肩做语重心长状。

妞儿白我一眼，说我讨厌，作势欲走。

吴建新拉住她，涎着脸对她说：“别走啊，说好咱们仨请许立宇的，还指望你那二百块钱付账呢——还真拿走呀？”

“现在这好心人多难碰见，你好意思花人家钱吗？可惜我们这些坏人没钱给你。”

我说完看着许立宇哈哈大笑，许立宇像落水湿了毛的狗狼狈不堪，一脸沮丧。

回到吴建新家，我们都有些醉意。吴建新搂着妞儿解着她的衣扣对许立宇说：

“我给你现场表演一下好不好？省得你老不开窍。”

妞儿一边打着他手挣扎，一边骂他讨厌。

许立宇坐在一边垂头不语。

吴建新嘻嘻哈哈不顾妞儿的反抗，继续剥她衣服，同时对许立宇喊：

“看呀，老师教你，你怎么这么不虚心？先捉住她的双手，腾出一只手解她的扣子，胸罩的扣子到背后去找……”

吴建新三下五除二地像剥花生壳似的把妞儿剥个半裸。

妞儿哭了，护着自己朝吴建新嚷：“你干吗呀你？”

我醉眼蒙眬笑眯眯地坐在一边，也觉得有些过分，便对吴建新说：“算了，你别闹了。”

“不是，”吴建新拽着夺门欲出的妞儿道，“我这是为了让咱哥们儿好好学习学习，我这是给他摆台呢，他自己不行，咱喂他。立宇，哥们儿够意思吧？”

“你太挤对人了。”许立宇此刻抬起了头。

他站了起来，牙关咬得咯咯响，双眼血红，面部的肌肉愤怒得不断抽搐。他抄起桌上的一只沉重的玻璃烟缸紧紧攥在手里向吴建新走去，一缸烟蒂烟灰扑簌簌从他掌间掉落。

“干吗，你要打架？”吴建新松开妞儿。

“就打你丫的了！”许立宇大吼。

他一把揪住吴建新，猛地举起烟缸，一股烟灰纷扬而下，使吴建新顷刻蓬头垢面。

我以为一场恶斗肯定阻挡不住了，我和妞儿在一旁都傻了眼，这一切都发生在一瞬间，我甚至都来不及反应。

我看到吴建新也害怕了，本能地抱头保护。

就在这时，许立宇哭了，手里的烟缸也没有砸下去。他举着烟缸揪着吴建新的前襟不住地哭着说："你太挤对人了，你太挤对人了……"

他那个凶狠的姿态经此一哭，变成了空洞无力的恫吓。

我急忙上前分开了他和吴建新，他的手臂软得像面条，似乎连烟缸都抓不牢了。他哭得像个孩子，鼻涕一把，眼泪一把，不停眨巴着眼，幽怨地望着吴建新反复说："你太挤对人了……"

不知何时，他抹了一把脸，烟灰和泪水混合在一起，使他的脸和那副哭相十分滑稽。

烟缸掉在地上，"啪"的一声摔得粉碎。

八

此事之后，我和吴建新、许立宇二人都疏远了。许立宇第二天便来找我，一进门就堆出一脸笑，讪讪地坐下问东问西。问我吴建新是不是特别生气，又问我是不是也挺不高兴，然后又说自己为一个女的跟哥们儿急"真没劲"！解释说他那天不是冲我，对吴建新也不过是一时冲动，现在特后悔，托我和吴建新"说说"。接着便张罗请吃饭，一定要我拉上吴建新。我那几天正好感冒，便借故推辞了。我对他说你一定要请，我可以帮你约吴建新，你们俩当面谈。他说不，等我感冒好了再说。

吴建新则在许立宇当天哭过走后，又抄菜刀又拎酒瓶往外冲，恨骂连声地对我侃了一下午他将如何活劈了许立宇。他认识的一帮朋友如何心狠手辣，专门替人铲仇，只要他一句话，许立宇即便是能继续活在世上，也注定只能以一个残疾人的身份苟且偷生。过了半天嘴瘾仍不解恨，抽了那妞儿两个大嘴巴，搜去了她身上的所有钱踢她滚蛋了。

我不是说我对自己就不感到厌恶。老实说，并非此事使我头一次看到了我们三人关系的丑恶真相，我一直真切清楚地注视着我的丑恶行径，并为之寒噤、恶心不已。这并非是说我比他人更善良更正直或更道德，也并非是说我比他人更警醒更具勇气，而是事实本来如此。这种放荡的生活方式说起来，描绘在纸上是很有吸引力的，足令未曾涉足者目眩神往。而在真实过程中，兴奋、刺激以至快感都是转瞬即逝的，一天中这样的时刻累积起来也不会超过十分钟，剩下的二十三小时五十分钟，刨去睡眠、无知觉的片刻和不动感情的交往，再加上不等时的闲适、惬意，仍有数十倍于那有感觉的十分钟的时间内是无聊、空虚、极度的怀疑和极度的迷惘。如同性高潮，愈是亢奋之后愈是疲惫和麻木。如同醉酒，飘飘欲仙之后便是加倍的头疼、恶心和清醒。

我无法摆脱罪恶感，用任何理论也无法去污，这就是为什么在有条件的国家里人们要借助吸毒使自己无所顾忌。

我无意使你得出这样的结论：那些一本正经的道德君子和实干家们就一定比用放荡的方式逃避现实的人生活得更有意义。我只是想说，我是个世俗观念很强的人。我很在乎面子、名利以及在别人眼中的价值。我不想从年轻时就鬼混一生。我不是亿万富翁颓废的继承者，我的野心和自尊使我不甘沦落，我要有我的那一席之地。我没有可供挥霍的资本，我必须像个初到一个大城市的穷光蛋在新社会里一点点积聚起自己的财富。

所以你可以得出结论：我决意告别放荡的生活不是出于顿悟、悔过，仅是一贯的自私个性必定使然。

这不是个浪子回头的故事。

我不再接许立宇的电话，对吴建新也敬而远之，一切吃喝玩乐的邀请敬谢不敏。事实证明，这个决定是我一生中若干重要决定中最正确的一个。仅仅过了两个月，“严打”便开始了。吴建新由于群奸群宿、集体淫乱被作为一个流氓团伙的主犯逮捕了，很快他的名字便出现在大街小巷张贴的刘云峰[①]署名的打红钩的布告上。

我抽身及时，仅仅受到吴建新一案的办案人员的讯问，证实了吴建新和几个姑娘的关系，并检讨了自己生活不检点，恋爱观不正确的错误，博得了公安人员的粲然一笑。

就是在那年，我辞去了公职。

九

转眼几年过去，时间到了八十年代后期。我在自己钻营的领域干得很出色，成了一流的通俗小说作家。我同时写言情和侦探两类小说，前一类为我带来了广泛的名声和不菲的收入。在一般人眼里，我已经成了成功的象征。

这期间，我换了几拨朋友，最后稳定在由一些和我经历相仿，现在又同在写字谋生的朋友组成的小圈子中。

---

①北京市中级人民法院院长。

我的谈吐、举止以及气质与过去迥然不同，见过我的人都知道我是多么温文尔雅。这种气质上的变化甚或使一些不了解我的人怀疑我的作品的真实性。

这期间，我的国家也日趋繁荣，很多人都不明不白地发了财，人们形容富裕不再以“万元”做标定单位。为了方便人们携款外出，国家发行了百元大钞。出租车已经在京城里成了灾，“打的”不再是奢侈的壮举，而是数种代步方式较为便捷的一种。你很少看到再有哪个出租车司机摆出高人一等的架势，更多的是听到他们抱怨：活累、辛苦、受警察气，甚至要冒生命危险。如果说出租车司机的收入仍高于普通的工薪阶层，但那数字已不是令人目眩咋舌的，他们已从令人嫉妒、想往的高度跌落了下来。

那天，我在一个饭店请几个有一饭之恩的外地朋友，吃完饭出来，在门口叫车。先开过来的几辆车的司机听说我去的地方不远，便恳告我，他们排了半天队了，如果拉我再到任何饭店都要从头排队，这样他们的定额就很难完成。他们让我到队尾去叫刚到的车。

我便往队尾走，从饭店门口到路口排了不下二三十辆车，车内的司机有趴在方向盘上看报的，有仰在座椅上睡觉的，还有开着车门互相聊天的，队尾的一帮司机凑在一起抽烟，互相打闹。这时，我看到其中一个人眼睛一亮如同沙堆中的玻璃片立刻吸引了我的注意，我认出他是许立宇。

许爷黑了，黑得有些发黄，人胖了一圈，但不显得结实。他还穿着那身西服，只是没打领带，西服很旧了，灰蒙蒙的像他的肤色一样黯淡无光，膝盖和胳膊肘处布满褶皱。他的眉宇间有疲惫、忧戚之色，这使他的双目显得很混浊，很无神。

他看到我后并不显得特别热情，仅微微一笑，眼中似乎还有几分嘲讽。他向我伸出只手，摇着我的手说："好久不见啊。"

"好久。"我用力握握他的手。

"要车吗？"

"是。"我点点头。

他的"雪铁龙"也像他的西服一样旧了，车身和玻璃上落满灰尘，前日下雨，还溅了一些干泥点，当年那么时髦的样式现在夹在那些崭新的"沃尔沃""尼桑"车中活像个寒碜的嬉皮士跻身于衣冠楚楚的绅士行列。

坐在他的车中可以听到马达轰鸣时噼啪作响，像国产洗衣机发出的噪音。我有个预感，他知道我现在的成就，可他一句不问。我问他的近况时，他只是简短地回答："还那样儿，老样子。"

我感到尴尬，无话可说，便没话找话，问他这车包一个月要多少钱？他反问我："你要包吗？"

"不不，"我说，"我的有些朋友需要包车，我可以介绍他们找你。"

"我这车已经给人包着呢。今天没事，出来拉几趟。"

我转而问他结婚没有？他说没呢。我主动告诉他我已结婚，并有了孩子。他嗯嗯哼哼听着，眼睛盯着前方全神贯注驾驶。

遇上红灯，我们在路口停下，我看到路边那间他第一次请我们吃饭的法国餐馆。这间当年名噪一时的高级餐馆在这几年雨后春笋般出现的豪华饭店和粤菜馆中变得默默无闻了，门口甚至摆出招揽路人的特价菜牌，用廉价的套餐吸引顾客。

到了目的地，我掏出车钱给他，他问我要开票吗？我说不用。我给他留了我的新地址和电话，让他"没事找我玩去"。他说他还是老电话"没变"。然后招招手把车开走了。

我想他不会给我打电话的，而我早已忘了他原来的电话号码。

十

邢肃宁是那种徐娘半老但精力反而更加旺盛，精神总是处于亢奋状态的女干将。我是在多年前的一次饭局上认识她的，仅聊了几句，便被她慨然引为知己。从某种意义上说，她待人接物有一股丈夫气，极豪爽极热情，作风硬朗，虽然有时给人一种强制性赠与的感觉。她是我认识的人中最忙的。这些年总是以一种冲刺速度在交际在创业在破产在上蹿下跳。月余不见，便不知她是什么身份。我手里她的五花八门的名片足可开一个小型的私人收藏展。我想和她联络时，常常看着一大片电话号码为难，不知哪个是她现在使用的。我国沿海的每一个特区新兴建时，她都去创过业，亲手创办了数不清的公司、交流中心、工贸大厦和文化城。她在北京有一家颇具特色的云南菜馆，在那儿你可以遇见形形色色的社会名流：气功大师、沙漠旅行家、颓废画家、摇滚歌手，以及政府高官、影视红星、大小记者、使馆官员，还有我这样的写字师傅。

她经常打电话令我去见“一个人”,都是她认为我应当一见的，对我大有用处的人，每个人都是“至关重要”的。我甚至在她那儿重新认识了我的一些熟人。我们在她那儿吃饭、喝酒、互相恭维。而她则周旋其间，为我们寻找共同感兴趣的话题，设想各种携手合作的可能。她有一种本能，一种不可遏制的本能，即：不能容忍有作为的人互不相识。

我们一些常到她菜馆闲聚的食客暗地里送了她一个谑称：侃姐儿。

那天，我奉侃姐之召赶赴她的餐馆，一见面她便携着我手引入雅座间，一本正经地对我说：“一会儿让你见一个人，太好了这个人，对你太有用了。”

我素知侃姐脾性，也不多问，笑吟吟地坐在一边饮茶等饭。侃姐的厨子那是第一流的，据说给龙云做过饭。

雅座间已坐了一些半熟脸的各路贤士，正在和侃姐起劲地谈论法国奶酪。我听了一会儿才听明白，原来侃姐准备把法国最好的奶酪引入中国人的餐桌，现在正办这件事呢。

侃姐道：“什么汉堡包、比萨饼那都不行，哄小孩的玩意儿。真正讲究就应该吃奶酪，营养又好，口味又正。要论西餐，美国人怎么能和法国人比呢？”

有位见多识广的电影编剧赞同侃姐的观点，提到他在一位外国人家中品尝到的进口奶酪的口感和咬头，口涎满嘴，津津有味。

侃姐断然批驳：“那不正宗！你没见过真正的法国奶酪——这就觉得满足了？”

那编剧申辩：“是法国的嘛，我看到那上面贴着法文商标。”

侃姐同情地望着他：“那是人家蒙你老外呢。法国奶酪也分好几等呢。真正正宗名牌的每盎司比金子还贵，在法国也都是上等人才能品尝的，能让你像吃猪油似的大口啃吗？”

“肯定不可能。”其他人也纷纷附和，“就像我们，也犯不上拿茅台招待外国人，‘二锅头’他们已经觉得很够劲了。”

编剧自找台阶：“反正下等的都这么好吃，上等的也就可想而知了。”

这时，在座的人纷纷转向门口笑说：“来了来了，许爷来了。”

我扭脸一看，见许立宇傍着一位正当红的英语歌星小姐赫然立于门口。他含笑步入餐间，环顾摇手致意。

那些傲然踞座的贤士名流纷纷起立躬身相迎，拱手赶着一迭声叫："许爷，许爷，您这边请。"

侃姐连忙起立，把我推上前去，笑对许立宇说："给你介绍个作家——这位是我的小兄弟。"侃姐对我二人道："你们好好聊聊，准合得来，都是风流种子。"

"我们认识，多少年的哥们儿了。"许立宇一把捞住我的手，用力摇握，满脸笑容。

"你们认识？那更好了，更得好好聊聊了。"侃姐推我二人入席，对伺立门旁的服务小姐道："告诉伙房，可以走菜了。"

几位华服盛装的太太都招手莺声燕语地叫许立宇："许爷，坐我这儿。"

"不不，我先抽支烟，一会儿的。"许立宇掏出皱巴巴的烟盒点上一支，退坐在桌旁壁下的沙发上。

"你怎么到这儿来了？"许立宇问我。

"常来呀我。"我把桌旁的一把椅子调过来，面对他坐下。

"怎么没见过你？"

"噢，我这一阵儿没怎么来。"

服务小姐开始穿梭上凉拼，按箸斟酒。

有女士催促许立宇："快来呀，许爷，我们可开吃了。"

"你们先吃，我们哥们儿好久没见先聊会儿。"许立宇大口吸烟，他的脸色和我前些时偶遇时并无多大差别。

"快来吃，小许，没你就不热闹了。"侃姐交臂趴在桌上叫许立宇，又笑对我说："这人特神，你待会儿听他给你讲他遇到的那些事，都够写个好小说的。你今天算是抄上了，到时候得了稿费别忘了有我一份。"

"你怎么不吃？"我拿起筷子问侃姐。

"我不吃，我待会儿下去吃，我今天是陪你们。许爷，今天又碰上什么好玩的事了？说给我们听听——别光埋头吃。”

许立宇在桌对面笑笑：“没碰到什么邪事。”

“没再碰到妓女拉你的客吗？”

一桌男女都笑了。

“我们这小兄弟勾引女人可有一套了。”侃姐笑对我说，“你那两下子根本不行，差远了，根本比不上我们这小兄弟。”

“是是，我知道。”

“真的没碰上什么事。今儿我不是跟您跑了一天，就刚才去拉了趟她。”许立宇一指和他同时进来的歌星，“然后不就一齐到这儿来了？”

“那你就说说你遇上的那个小妓女的事儿。”

“你们不是都听过了吗？”

“有没听过的，你没听过吧？”侃姐问我。

“没有。”我抬眼望了下许立宇。

“听过再听一遍。”几位女士尤为起劲儿，“说吧。”

“那天我去首都机场送客，回来一个女的要了我的车……”许立宇看看我，吞吞吐吐地说，“她去那地方特别远，整个绕了全北京，往西都快到石景山了，到了告诉我没钱……”

邢肃宁打断他：“你不能这么讲，你得学她是怎么说没钱的。”

“没带钱，带这个了。”许立宇双手拎着餐巾在腿上做了个撩裙子的动作。

一桌人哈哈大笑，女士们的笑声尤为尖厉，东倒西歪，开心之极。

“这回讲得不如上回好。”邢肃宁批评，“省略太多。再讲一个，你那回是怎么拉一个精神病去天津迎接外轮的。”

“没意思，讲过多少遍了。”许立宇频频用眼睛瞟我。我避而不看他，低头从烟盒里抽出一支烟，东张西望找火。

“那就讲你和那个法国小姐的爱情故事，她是怎么看上你的？”一个不知是干什么的迟暮美人娇声开口。

我感到被人用肘用力杵了一下，抬头看到邢肃宁笑眯眯地盯着许立宇说：

“对，就讲你和安德蕾小姐的浪漫故事吧，这可都是你亲身经历吧？”

邢肃宁扭脸对我说：“看不出来吧？我们小兄弟还能被法国姑娘看上，爱得死去活来。”

我转脸看许立宇，看到他脸上浮起颇为得意颇为自负的神情。

整个故事的详尽过程，我无法一一复述了。许立宇倒是讲得十分细致，有铺垫，有渲染，有人物，有情节，脉络清晰，活灵活现。但在故事精彩处不时被哄堂大笑所打断，并被其他听众的点评、感慨、雅谑所转移，造成了某些段落的衔接断裂，起因不明，后果无踪。特别是故事讲到一半，邢肃宁接了个电话，她的一个朋友要用她的车接人，她便派许立宇跑了一趟。故事的后半部分是由那些熟知情节的妇女们七嘴八舌补充给我的。讲述者众多，观点不一，记忆各异，后面的情节便有些莫衷一是，很多地方互相矛盾。妇女们为此还吵了起来，争论的结果使故事形成了有多少名妇女便有几个结尾的开放性结构。

故事大致如下：

安德蕾是个以法语为母语的白种姑娘，她来自加拿大的魁北克，曾在台湾学了口生硬的“国语”。从她来到中国后的种种迹象看，她似乎是个雕塑家。至于她为什么要来中国，又不是短期旅游观光，主要有两种说法。比较正式更具说服力的是受她父亲的影响。她父亲是个医生，和白求恩一样曾经是美国共产党党员，虽然在五十年代退了党，但对中国较之一般北美居民要关注一些。她的父亲曾对她说要注意中国，这个国家将在下个世纪成为重要的大国，如果你想有个远大前程的话。这位资产阶级知识分子在本世纪六十年代就对自己的女儿讲了这番话，不能不说是颇有眼力的，那时我们自己还没有想到要搞四个现代化。据说这位医生在股票生意上也从未失过手。第二种说法近似于无稽荒诞，说是这位安德蕾小姐去美国游玩，在华盛顿动物园看到中国赠送的大熊猫，被大熊猫的憨态所吸引，遂起意去拜望和这么可爱的动物生活在同一块土地上的人们。

总而言之，她来了，成了个混迹中国街头的外籍浪人，并对这个国家产生了感情。她为自己取了中国名字：安兰馨。她是在邢肃宁的餐馆遇见许立宇的。当时在场的一定还有其他杂七杂八出色的中国人，但一个外国人，又是个雕塑家，能有什么眼光？她看到的只是肌肉、骨骼和那张硬纸板一样的皮肤。她不大能理解那些聪明的中国人的俏皮、机智，反倒被一个沉默的典型黄种人所震动。许立宇刚洗完澡，短硬的黑头发在刺眼的电灯光下散射出钢蓝的光芒，这光芒使他的脸阴影重重倍加忧郁，有一种版画效果，令安兰馨小姐心醉神迷，柔情满腔，犹如大熊猫的形象所带给她的那种罕见的惊喜。要知道，特别是艺术家，对新的造物形态有一种梦寐以求的向往。

外国人是很不善于掩饰自己的情感的，当一种发现处于稍纵即逝的情势之下，他们决没有我们中国人待其再现的耐心和信心，他们会像溺水者抓稻草一样紧紧抓住眼前的机会。安德蕾小姐当场便露骨地表示了对许立宇的好感，或者说，她纠缠了许立宇。

她公然对在场的人说：“他吸引了我。”接着那对蓝眼睛便如闪烁不定的猫眼盯住了许立宇，在这样一双眼睛的凝视下，任何旁观的中国人都会比当事者尤甚地害臊。

有人问安德蕾小姐："他什么吸引了你？"

这句话引起了笑声，因为这里有隐约的色情味道。

安德蕾回答："他的眉毛。"

那是一双扫帚眉，又短又粗，呈倒八字。许立宇本人也觉得这近乎开涮，不免说些自我解嘲的"你完全可以也刮出这样一对眉毛"之类的话。

安德蕾很认真，道："是眉毛，这眉毛使这张脸显得伤感，不管他是在笑还是表示开心，这眉毛始终在给你讲述一个悲伤的故事。我从来没见过悲伤如此醒目地刻在一个人的脸上。"

中国人都笑了，许立宇许爷则更窘了，他连忙否认，他不悲伤，心里很快活。

安德蕾答道："我并没说你心里其实是什么样的。"

没人知道许立宇的真实感受，他自己也始终是嘻嘻哈哈像是在说一件可笑的事。再三表白他从未对此事认真过，也不过是逢场作戏，为安德蕾小姐凑趣儿，"我才没那么傻呢。"当然，他照样为受到一个外国姑娘的青睐甚感得意，他的毫不为其所动更加重了这种得意感或者说使他有了一种优越感。

这个由许立宇本人讲述的情节受到了一个自认为对外国人有更深了解的女士的质疑。据这位女士讲，即便是一个操法语的以放荡著称的加拿大姑娘也不可能如此公然地表达对异性的喜爱。其实人不分种族、信仰、民族习惯，在对待爱情的态度行为上是一样的。如此描述纯系对外国人的想当然毋宁说是对全体雌性的侮辱。

照这位女士的版本讲，安德蕾小姐并非对许立宇一见钟情，实际上，她一开始并没有特别注意许立宇。那天晚上，她对所有人都很友好，很热情，对中国说了很多恭维话，仅仅是为了使表达更易解、更形象，她在恭维黄种人的脸型优势和对美术创作提供灵感源泉的例证时顺带用许立宇的那张脸做了教具。

真正产生感情冲动的是在以后。

安德蕾小姐包了许立宇的车，到郊外去挖她雕塑所需的胶泥。

那是块风景极为优美的田野，远处隐约可见清代帝后们的红色陵墓。安德蕾小姐挖泥时心旷神怡，被风景撩起如絮情愫，那颗芳心本正处于搭弓上弦、一触即发之际。合该有事，那天忽至雷雨，将一个美丽鲜艳的白种小姐淋得愈发醒目。你们是了解外国人的，除非下刀子，否则无法使他们的心情变坏，他们在劳动时有一种野蛮人发泄体力时的欣悦。安德蕾小姐干得更带劲了，她甚至脱下衬衣像我们中国人用报纸包排骨那样包着一大块赭红色的胶泥跑回汽车。照这位单身女士的刻薄讲法，我们那位许爷都“看傻了”，任安德蕾小姐半裸着冻了半天，还算天良未泯，更主要的也许是怕沿途的交通警察加以干涉，才脱下自己的上衣给安德蕾小姐披上。又怎么能知道他不是想给安德蕾小姐一个相等的肉体刺激呢？

我们这位许爷并不像他说的那么光明磊落。

他们驱车回到了城里安德蕾小姐寄居的饭店。可想而知，两个人都浑身泥泞，狼狈不堪，于是在房间的卫生间内先后洗了澡（这是确凿无疑的）。之后，才发生了前面所提到的那段故事，包括蓝光的感召。但安德蕾小姐动情的并非眉毛，而是许爷的嘴唇。她认为那总是紧闭的、像黑人一样憨厚的青紫色的嘴唇十分伤感，十分神秘，如同一把锈锁，锁住了无数令人伤心的故事。偏那些故事又像酒精一样易于挥发，一旦张口，顷刻弥于无形。因而安德蕾小姐不待知道那些故事的内容，便已经泪眼盈盈了。

她没有把许爷当做那种礁石般的经得起冲撞洗刷的男人，而是把他当成易碎的、怕遭雨淋的、只能头朝上的日本电器精心地爱惜。她拒绝了许爷这个人或者说压根没邀请他，仅留下了他的衣裳。她很喜欢许爷这位男式上衣的中国气派，这对她无异于奇装异服，穿上便不肯脱下来，对镜搔首，沾沾自喜，这件中式男上衣在安德蕾小姐恍惚、不可捉摸的思绪中成了她和中国融为一体的象征。

她对神奇和不可知的向往还表现在数日后的一个黄昏。在代表中国从古至今一切的华丽、高贵和至尊无上的天安门广场上，由我们这位黝黑的许爷骑来一辆果绿色的人们常看到心忧如焚的少妇抱着孩子坐在上面赶赴医院的微型三轮车，后座上坐着那位金发碧眼穿着男上衣的安德蕾小姐，招摇过市。

毫无疑问，这景象很美，足令安德蕾小姐获得她坐在“雪铁龙”汽车里所得不到的满足。她完全可以对周围自行车队的中国人脸上的惊骇表情视而不见。

安德蕾小姐追求美感，她有一双和我们中国人感光度不同的眼睛，陌生的中国城市使她的眼睛变得像刚出生的婴儿那么单纯、透明，具有鉴赏力。

她把那块从苍翠、水淋淋的中国田野中挖出的赭红色胶泥，斧斩刀削为一颗许爷的头颅。后来我在许立宇家看到过那尊头像。的确是许爷的头，一眼便可认出，但神色我感到大相径庭，那是一种我从未在许立宇脸上发现过，其壮烈其狰狞大抵只在梦中才可想象得如此淋漓尽致。也许安德蕾是个浪漫主义艺术家，也许她确曾焕发了许立宇的某些资质，也许是那些红色的泥土天生造就了一种气质，表达了一种与模特儿无关的蕴意。

看得出雕塑家在作品上倾注了理想，而与理想距离最近的就是模特儿，这不需要中国式的逻辑推演，安德蕾爱上了许立宇。这爱与结婚、出国和缔结中加友谊无关，爱就是事实本身，甚至也并非是爱一个中国人！

争议最大的就是这场爱情的结局。当事人许立宇其时已不在场，各位太太女士各执一词。有的说许爷把安德蕾睡了又抛弃了她。有的说许爷自知不敌根本没敢靠近安德蕾的床。也有的说安德蕾在千钧一发之际忽然改主意了。尽管说法不一，但事实很清楚，发生了一次动人心弦的情感高潮，但终未成事，或是成了事但未结正果。在高潮时情绪的陡变起因何在至今是个谜。根据最荒谬即最真实这一科学公式推论，我倾向于接受邢肃宁的说法：

安德蕾情欲如炽，约了许立宇到她的饭店房间幽会。为了尊重中国人的风俗习惯，她一定找了个冠冕堂皇的借口。许立宇尽管嘴上一再否认他曾动心，但根据中国男人一向言行不一且并不一定要非有真情才可行动的惯例看，他未尝不是抱着见机行事，得便宜便捞一把的心态进的安德蕾小姐房间。由于所述皆为传闻，未经当事人认可，为避抄袭外国电影情节之嫌，进屋之后的种种作态、行为不再赘述，想来一定是令人心惊肉跳的如果算不上是惊心动魄的话。

和中国人的习惯相反（邢肃宁原话），那天在那个房间内是小姐扑先生。即便是位外国小姐，到扑先生这步田地怕也是受逼不过，万般无奈，才出此下策。

据说安德蕾像扑鸡似的把许爷扑得满屋乱窜，咯咯叫声扑翅之声不绝于耳。情状如此不堪，安德蕾小姐尚能兴致不减，看来真是痴心可敬。

一方面是真逮，一方面是假躲，许爷怕只是一时惊慌，自然假不敌真。说时迟，那时快，也就是几秒钟的混乱，许爷便被安德蕾小姐手到擒来，置于怀中。

其后小姐自然是大施笼络手段，这个她当然是会的。我不明白许爷何以仍能保持冷静，私心窃以为是小姐此时无有一口吴侬软语，一口生硬的国语夹杂几句脱口而出的法语，不管内容如何，凭其语调之铿锵当令对象如斗法不过的孙悟空时时束裙跳出圈外。

这句话大概是许爷心中暗憋许久，恐惧已久，此时不吐，后果不堪设想。

俟安德蕾小姐正当坦白正当陶醉，并欲进一步坦白进一步陶醉之际，我们这位许爷忽然开口，半是担心，半是谐谑：“你们是不是都有艾滋病？”

此语一出，许爷就是想也不能了。安德蕾小姐犹如旺火被兜头浇了一瓢冷水，形神枯槁。这实在是个突如其来的却又结结实实的侮辱。与其说安德蕾小姐感到震惊，不如说她感到失望。接踵而来的便是悲伤。她望着这个有着那么一颗漂亮头颅的男人心中诧讶，为爱情悲伤，但悲伤的爱情又治愈了她心中的伤口。她只冷冷地对许爷说了一句：

“你是不是觉得我们白人就不是人？”

安德蕾小姐不知所终。一说是她已回国，把这段伤心史当做不可多得的人生体验饱藏心底，孤独地生活在冰天雪地的远方。一说是她仍在中国内地漫游，有人看见她和一个黑人青年在一起。

出车回来的许立宇含笑矜持地坐在一旁，像个凯旋的英雄听着人们传诵着他的光荣。

最后，他补充了一句：“我受不了外国女人身上的那股狐臭味儿！”

十一

“有意思吧？”邢肃宁笑着看我，“今天没白来吧？你只要抓住他，保你一辈子有的写。有些更有意思的故事今天还没来得及说呢。”

我点头：“有意思。”

晚宴结束，许立宇用车送我们回家，车后座挤了一群叽叽喳喳的娘们儿。为了送她们，我们跑遍了全城黑暗的旮旯。似乎全城的色狼今夜都在等着拦截我们这车半老徐娘，每个娘们儿都坚持让许爷的车后屁股顶着她的家门，才敢下车。许爷一一照办了。

车里只剩下我和许立宇，我发现他那挂了一晚上的笑容消失了。我注意观察了他的眉毛和嘴唇，看不出有什么伤感。如果硬要说他的五官给人以感受的话，弗如说透着一脸晦气。

他一边开车一边打哈欠，使劲眨巴着眼盯着昏暗的大街前方。

“累，真累。”他看了我一眼说，“困劲儿又上来了。”

“你这一天跑多少小时？”

“没点儿，抓着你就得跑。邢肃宁使人使得倍儿狠。”

“她包着你车呢？”

“要不我干吗呀？”

到了我家楼下，我对他说：“上去坐会儿？”

“太晚了。”他犹豫了片刻，又说，“你们家有地方吗？要不我干脆在你这儿睡得了。特想和你好好聊聊，真的，今儿叫那帮娘们儿打岔，咱们也没聊成。”

他望着我的眼神十分诚恳，我说：“那走吧。”

他摇玻璃，锁车，刚要离去，又想起什么，回到车里拿出一个手提袋："我这洗漱用具什么的都带着呢。"

走了几步，他对我说，"不爱回家，没劲，看着我哥他们就烦。"

"你哥结婚了？"

"孩子都三岁了。嘁，没出息！什么呀？小日子过得还挺来劲。"许立宇露出一脸不屑，连忙又对我说："噢，我不是说你，你和他们不一样。"

"一样，都没什么大起子。"

上了楼，我爱人睡眼惺忪地给我们开了门，见有客，又倒水又递烟，并为许立宇支了张折叠床，抱来干净的被褥。

"床窄点，凑合睡。"我爱人抱歉地说。

"没关系，"他说，"我回家也得搭床，这就很好了。"

许立宇坐在床上，左顾右盼打量着我家陈设，啧啧称叹："真不错，布置得真高雅，还是你行。"

"你别骂我了，还高雅呢，穷对付吧。"

"真的真的，我要是有这么一个家，也就知足了。"

"这还不容易吗？你们开车的手里一般不都趁俩钱？"

"看跟谁比了，看怎么说了。嗐，不提那个，没劲。哪天我跟你好好聊聊。"

我以为许立宇今晚要跟我大谈人生，抡圆了感慨一番。可我上了趟厕所回来，发现他已经脱了衣服，躺在被窝里舒舒坦坦地睡着了。他的脏球鞋臭袜子扔在一边，室内弥漫着熏人的臭脚丫子味儿。

十二

许立宇打算出国前几年就露过这话。那时他还挺得意，可遇到有的朋友出国，他还是十分羡慕。包括我当时都有那种心理，认为出国和飞黄腾达是同义语。

有次我们送一个去阿根廷淘金的朋友赶飞机，在机场路被莫名其妙地堵住了。那个朋友很着急，怕误了航班，可路口的警察就是拦住所有的车不放行。这时，一个庞大的国宾车队在警车的开道下，风驰电掣从后面一路开过来。大家看着那些车里坐着的外国人和陪伴他们的中国人就骂："牛什么呀？不就是一百多鬼子，二百多伪军。"当国宾车队的最后一辆开过去后，许立宇抖了个机灵，一踩油门跟了上去，对我们说："咱们也享受享受鬼子的待遇。"

飞机倒是没误，可许立宇的车牌却被交通警抄了下来。当我们从机场出来时，在第一个路口便被警察拦了下来。一个十分年轻的警察冷漠地挥挥手让许立宇的车靠边，然后上来要他的驾驶本，装进自己口袋便回了岗亭。许立宇忙一溜小跑跟过去，又赔笑脸又递烟，那警察看都不看他递来的烟："你少来这套！"许立宇再三央求，问警察他违了哪条章？警察就是不理他，照旧指挥他那个忙碌的路口的来往车辆。直到许立宇磨破了嘴皮儿，说尽了好话，警察才猛地掉过脸，指着他大声呵斥：

"你算干吗的？也配跟着国宾车队走？这么多车这么多司机就你聪明？今儿你算聪明对地方了！等着吧，待会儿市局的人来提你，为什么尾随国宾车队？想搞暗杀呀？"

一席话说得许立宇魂飞魄散。其实事情也没那么严重，纯属那交通警虚声恫吓。他足足训了许立宇两小时，耍足了威风，最后罚了款，才还了本让许立宇走人。

许立宇从警察那儿回来，一脸丧气，坐进车里问我："你说我要是一外国人他敢对我这样吗？"

我说："那也得看你是一外国什么人。"

"不用是什么，就是随便一外国人，他起码对我客气点吧？"

许立宇最爱讲的一个小故事，就是一个从北京跑到香港开公司混的人回来后，一天夜里乘车被巡逻的警察截住。警察问他是干什么的，他说是做生意的。警察说那就是个体户了？那人掏出香港"派司"一亮，从容道："不！资本家。"

每当讲这个故事，许立宇便两眼发亮，闪出异彩，说资本家讲那句话时掷地有声，明显带有某种快感。看得出来，他是多么希望这句话是从自己嘴里说出来的啊。

近年来，出国的人更多了，是个人就有不少朋友出国在外边混。其中不少换了身份回来，俨然外商，举手投足令人不得不刮目相看。

邢肃宁一见许立宇便说："不许结婚，尤其不要和中国人结婚。像你这么年轻，就应该出国闯一闯，老在国内待着有什么出息？一定要出国！必须出国——包在我身上！"

许立宇就笑，当时不说什么，但时间长了，也不禁认真地盘算："您说我去哪国合适啊？"

"哪儿都行。"邢肃宁道，"美国、日本、澳大利亚，哪国都比国内强。"

邢肃宁侃是侃，但也真是有些办事能力。后来，她真把许立宇办到了日本。

拿到日本使馆签证后，许立宇专门来找过我告别。他显得有些心神不定，他问我："你觉得我出国好吗？"

我问他："你干吗非得出国？你开一出租车在国内混不是挺好？"

他连连摇手："不行，我还开一辈子车啊？"

“那怎么啦？”

他冷笑：“那我最后不就又变成我爸爸了？”

我说：“你以为你出国就一定能发财？”

他说：“那不管，我管不了那么许多，走一步看一步。”

许立宇出国前，大请了一次他的所有哥们儿，那天我也去了。

他剪了个日本“板寸”头，穿了身笔挺的西服，还戴了副墨镜。他的哥们儿一见他就起哄：“行啊，许爷，这就装裹上了。”

许立宇笑嘻嘻地说：“叫先生，以后再见我你们都要叫先生了。”

他问我：“你觉得我这样儿像日本人吗？到日本大街上他们认不出我是中国人吧？”

他十分高兴，站起来抹抹头发，抻直衣摆，两手交叉握在腹前，挺直腰板在餐桌旁走来走去，模仿着日本人的派头严肃地鞠躬、致礼，嘴里还大声咕哝着所谓的“日语”。他“哈依”、“哈依”地低沉喊着，向在场的每个人或点头或鞠躬，抓住某人的手用假想的日语大声谈笑，想象着在日本街头与人交谈的情景。他又走到窗前，两手按着窗台叉着腿凝视窗外街道，皱着眉头大声感叹：“索嘎！”他像一个思索中的公司老板背着手在室内踱步，不时抬头挥手大声和假想中的日本人争论，肯定或断然否认着什么。他嘴里咕哝的日语愈来愈激烈，愈来愈混乱，而表情却愈来愈激动，愈来愈绝望。他如同一个已进入角色的独角戏演员狂热痴迷地表演着，对观众念着大段内心独白。那些没有含义的句子滔滔不绝地从他口中冒出，他激昂，他悲愤，他声嘶力竭，喑哑的嗓音变成阵阵嘶吼，犹如一个落入陷阱的野兽的嗥叫。

他猛地扑过来，抓住我的双肩用力摇晃，泪流满面地吼着：“八格！八格牙鲁！”

在场的人都呆了，我也惊呆了，只是喃喃地说："像，像，你就是了。"

他一把搡开我，掉脸向壁两把擦干了脸上的泪，仰面看着天花板粗声喘息，接着掏出精心插在上衣口袋中的白手帕用力擤鼻涕。

他擤着鼻涕微笑地转过身，对大家说："你们都把我当日本人了吧？"

十三

我怎么也记不起许立宇的长相了。那张唯一的照片上他那张半隐半露的脸也不能帮助我的回忆，成年后的许立宇相貌有了很大变化。我在一天夜里梦见了许立宇，虽然在梦中我知道他是许立宇，但那张脸绝不是他的脸。在梦里他是一棵树，容颜藏于摇曳不定的茂密枝叶中，树冠在路灯下投出斜长、形状模糊的阴影。

我去邢肃宁的餐馆找她，问她知不知道许立宇在日本的确切消息，那个凶信是否可靠。

她愣了一下："许立宇？谁呀？"

"就是给你开过车的司机。"

"哪个司机？怎么，他去日本了？"接着，邢肃宁一脸义愤，"我们有些中国人就是不争气，在外国什么丑都出了，也不怪人家瞧不起咱们。"

说完她去忙她的事了。她最近正在多方联络搞一个台湾邀请，准备以大陆"杰出人士"的身份访台。

几个月后，我遇到一个多年不见的朋友，见面便觉他举止有异，再一聊，方知他去日本混了几年。当时我就觉得有件事和他有关，但又怎么也想不起来，思路受拘于我们之间一些悬而未决的往事。直到临走，才想起来是许立宇。我问他认不认识一个叫许立宇的人，他们在日本逗留的时间差不多是同期。这个朋友当即表示知道，许立宇在日本干了件惊天动地的大事，都上了当时的《朝日新闻》社会版，在日本的中国留学生都曾耳闻。他说他并不直接认识许立宇，只是在他出事后听别人传过他。但他认识一个和许立宇很熟的人，如果我想了解详情，他可以介绍我去找那人，那人现也在国内，为一家日本制药公司开拓中国市场效力。我说不必，也没有特别重大的理由要打听这个人的下落，仅仅因为从前认识，也听到了一些骇人听闻的传说，聊表关心，他只要把他所知道的概述一遍即可，权当饭后茶余的闲谈。

于是我们一起去吃饭，那个朋友尽其所知对我讲了一些许立宇的情况。

许立宇像多数中国人一样，到日本是打着留学的旗号，其实只不过是花了钱到日本的野鸡私塾去读日语。他去的那个学校甚至都不是日本人办的，是几个台湾人绑着一个日本粗人开的，其用意也只在赚大陆留学生的钱。

许立宇去日本前大概搜罗了一些正在日本混的直接或间接的朋友的住址电话。一到日本便去找了他们，据说其中有个人对他很不错，帮他安排了住宿和打工的地方。这个人大概属于在日本混得比较好的，住了一套公寓，开了一辆挺新的二手车，也能请得起朋友吃几餐饭。

许立宇先是在一间中国人开的饭馆里打工，至于是洗碗还是卸货就不知其详，反正活儿极累，待遇极菲薄。干了些日子便顶不住了。在他心里也有些愤愤不平，既是为中国人卖命，何必千里迢迢跑到日本？在国内还算个名正言顺。

我不知道许立宇出国是去找什么感觉，但他一下飞机就该明白，这个国家的一切都与他无关。如果他在国内还能发发小脾气，在这里却容不得他搭半点架子。如同监狱能使任何高傲的头颅低下，异国的环境也能使最愤世嫉俗的中国人变得驯从。很多在家里暴君似的人在单位不都是俯首帖耳老实得如同绵羊？

我们没听说过许立宇对比他在国内更坏的日本境遇抱怨、失望。如果有，他也未公开、持久地流露。人一旦落到最卑微的境地要求便简单了。也许他有远大的志向，有一个精心设计的计划，作为实施这个计划的第一步，对钱的贪婪和攫取成了他现时的唯一具有支配性的动机。

好在日本是个明码实价的国家，只要你肯卖，任何东西都可以标出一个价格，一律用日元付酬，不至于最后给你奖状或荣誉称号了事。

我常常想，为什么很多衣食无忧的又无强烈的生理要求的清白女子会堕入风尘？大概起因皆为无法拒绝那唾手可得的第一笔巨款，难受片刻便归我有。待第一笔钱到手不禁又想，再难受一下岂不翻番？如此类推，欲罢不能，直到丧尽廉耻，身败名裂。据一些未经过科学验证的研究报道，金钱像麻醉品一样可以使人成瘾，并伴有强烈的欣快感。赚钱运动一旦开始便会出现钟摆效应，无穷往复。如同奥林匹克的宗旨：重要的是参与。运动本身即是目的。无数阿巴公式的百万富翁都可以告诉你，为什么他们对花钱毫无兴趣。

由此可见，许立宇为什么彻底放弃了在学校的应景式学习，又不满足于在中国人或韩国人的餐馆里打工糊口。

他找到他那个混得不错的朋友，说他急需一笔钱，希望他能帮他找个能挣大钱的工作。可以想象，他会为此编出令人信服的借口，譬如他为出国负债累累，或者装出一副重病缠身的苦相，也许干脆就没什么借口。凡倾家荡产到了日本的人都无需解释他们为什么对挣钱有那么股狠劲。

他的朋友也没多问，表现出了一个北方汉子特有的侠义和豪爽。他甚至都没考验、试探一下许立宇的决心，便把自己那份报酬优厚的工作分了一半给许立宇。

尽管日本是个发达的资本主义国家，但日本民族同样又是个禁忌很多的东方民族。发达使他们的城市遍布高楼，自然规律又使他们终有一死，而禁忌则使他们不允许搬运死人时使用电梯。所以，所有死在高楼的逝者都要雇人从楼梯上背下来。

与死人打交道的工作在我国也是人们心目中最低贱的工作。据我所知，西藏的天葬师尽管颇受礼遇其实也是没有什么社会地位的。

发达了的日本人自然是不会也无须去干这背死人的工作。如同北京的小保姆大都来自安徽、四川，在日本背死人的工作也都由外国人包了。那些来自宗教盛行的东南亚和南洋国家的人都不肯干这种工作，肯干而且敢干的都是不畏鬼神的中国人。

许立宇第一次去背死尸，他的手哆嗦了吗？他默诵什么语录支撑着自己走完那数百级楼阶还是灌了几口酒借着酒劲一鼓作气爬上楼背起死尸就走？日本的长寿是世界著名的，社会治安良好也是有目共睹的，当然自杀率也是高水平的。许立宇的顾客中容貌姣好的少男少女到底能占几成呢？而他们死后这种姣好又能在多大程度上保持在他们生前的水平上？恐怕他每天接触的更多的是那些腐朽的老年尸首。多数人生前即已令人不忍卒睹，死后又多日不被发现，难道不是因为有了浓郁的尸臭，日本那么一个极重法制极重他人隐私权的国家的公务员才会破门而入？

想来没人会觉得和这么一具腐败的尸首待在一起是件令人愉快的事。大楼管理员或死者家属将许立宇领到公寓门口，指明停尸的房间一定捂着鼻子乘坐电梯高速返回。

这时，大楼的顶层就只有许立宇和那具烂得汤汁四溢的腐尸单独相处。日本人会给他添置一身消防队队员式的行头，使他从头到脚都裹藏得很严实，手套、口罩，我拿不准的是他在那幽暗的房间会不会戴上他那副使人感到威严的墨镜。即便是纹丝不露，装扮威武，他会产生一种近乎医生和刽子手般的崇高职业感吗？他会跟那个死去的日本人来上几句幽默、调侃吗？这可是他到日本后唯一的单独面对一个日本人的机会，那个日本人又是那么信赖他，把自己的一切都托付给了他。

他把尸体装进尸袋的动作必须加倍小心，否则一块肌肉或一条胳膊、一只手、一把指甲会突然剥落。他需要先用一条被单把死者像包糯米粽子一样裹起来，然后像托一块豆腐，像抱一个婴儿一样轻轻托起。他一定要先抱头，否则重心在下，那颗头会像断了枝的果实晃荡不休，会亲吻到他身体的某一部位。

死者像一条鱼一样滑溜溜地钻入尸袋，立刻使干瘪平坦的尸袋呈现出奇形怪状的凸凹。他拉上拉链，现在可以松一口气了，可以抽一支日本的柔和“七星”了。那支“七星”烟在这间气味混浊的房间内除了第一口味道清醇，随后便含入了一股甜丝丝的滑腻，仿佛他把死者的气息也吸入了肺部，这联想使他恶心。

他抱起死尸，他不能像背一袋面似的把死尸背在背上。死者和死者的家属有权要求他用一种保持死者尊严的姿态使死者出现在大家面前。

他抱着死者双膝，把死者的头搭在自己肩上，一手按着死者的背。如果他有孩子，当他抱着孩子出门上公园而孩子又因为困顿睡着了的话，就应该是这个姿势。

死者的屁股沉甸甸地压在他的臂肘上，他看着陡峭的楼梯一步步从楼上走下来。他的脸隐藏在口罩后面，生者死者都不见面目，这一景象本身就令人肃穆，令人庄严，令每一个目睹者望之悲恸。

在每一层住户门前，都站着干净、典雅、表情娴静的日本妇女。当他经过她们身旁时，这些妇女都急匆匆往他兜里塞入一沓数额不等的礼钱或曰小费。希望他在经过这些人家的门口时，脚步加快一些，把晦气带得更远一些。

日本的楼太高了，背着一个死人下楼，逐级而下，实在并不轻松。虽然从每一个窗口看出去，日本风景都是那么秀丽，天空都是那么清澈，他看到白雪皑皑的富士山了吗？日本的天空会像中国的天空那样时有一群群白鸽唿哨飞掠而过吗？

他气喘吁吁，汗流浃背，胳膊酸得几乎失去知觉。但他不能停步，不能歇息，每一层都有人用钱催促他加快脚步，他是嫌楼高还是嫌楼层太少了呢？

当他终于抱着死者出现在楼底门口时，灵车旁聚集的素服死者家属便一齐向他大放悲声，日本人的哭泣是很认真的，各个哭得椎心泣血，悲哀的气氛很容易就造了出来。在这种气氛下一个人要漠然置之是很困难的。我愿意相信许立宇，起码在头几回是会大受感染的，也情不自禁地感到难过，口罩下的脸万分沉痛。集体的哇哇大哭常会使一个不相干者也觉得有义务哭丧着脸。

只有当他接过死者家属的钱，被打发开，摘下口罩后，他才会蓦然发现这悲哀与他无关。死者家属并不打算和他分享这份悲哀，日本人的傲慢莫此为甚。

当他沿着那精致、一丝不苟，宛如儿童积木般美丽有序的日本街道往前走时，他会不会感到某种失落呢？还是因为兜里塞满了钱洋洋得意？

十四

许立宇因了这份工作腰包日渐膨胀。他学会了用职业的态度来对待职业。当楼层过高或死者超重他就会要求死者家属加钱，有时什么也不为，就为死者家属看上去阔绰或干脆是因为那天没有竞争者，他便一再坦然伸手。

他背着死者经过每一层住户门前，都要放慢脚步或索性停下来，直到该层的妇女给够了钱才走。他才不在乎那些日本娘们儿背后是不是说他借死人来敲竹杠，反正他也听不懂日本的刻薄话。

在背尸的这个行当，他重又体会了八十年代初他在中国当出租车司机的优越感。谁都要对他倍加客气。不管他服务多么简慢，也没人敢对他说："不愿意干你可以走！"他真敢撂下就走，决不像他那些在日本工头手下干活的同胞那么没骨气，逆来顺受。

他认真对几个待他不使用敬语说话、颐指气使的家伙拿过糖，充分享受了一群日本人对他点头哈腰赔笑脸求情的快感。

他对他那些奴颜婢膝又很有牢骚的中国朋友们说过："只有你不尊重自己，别人才会不尊重你！"

"你们觉得日本人傲慢吗？我没有这种感觉，他们对我都很客气。我倒觉得他们很有点低三下四呢。"

十五

如果许立宇一直干到今天，那他早就是个人民币百万富翁了。用这笔钱他可以在国内投资，搞一个很像样的餐馆或歌厅，进入令人羡慕的“款爷”阶层。哪怕什么都不干，把钱买了债券，也可以当一辈子舒舒服服的寄生虫。

实际上，他干了背死人这个行当不久，就像他那个朋友一样买了一辆二手车，从鸽子笼搬出来租了一套公寓，虽然那公寓是半永久性的用纸板组装的，但毕竟是厨卫设施齐全有客厅有卧房的私己之地。当他工作之余，换上一尘不染的西服，开着他那辆“尼桑”轿车去看他那些当苦力的朋友，请他们去“中华料理”吃上一盘鱼香肉丝，的确给人一种“混得不错”的印象。

他就是那时染上往头发、身上洒香水的嗜好，满身香喷喷的味道使他显得有些像花花公子呢。

也正是在那年秋初，他遭遇了那场事变。在东京一条繁华的街道上，他在众目睽睽之下用菜刀劈了一个日本黑社会的头子。据报纸引述目击者的报道，事发突然，过程也很简单。那个黑社会的头子带着两个保镖在街上走，正逢许立宇也在同一条街上闲逛。当时与他们同在这条街上走的人有成千上万。人们各有各的目的，那个黑社会头目大概正在巡视自己的地盘，而许立宇也许是去买什么东西。他们完全可能擦肩而过，此世不再相逢，就像当时他们周围摩肩接踵的其他人。也许许立宇正在为眼前的异国风情所陶醉，也许他另有心事，茫然若失，他根本没注意到那个大摇大摆的日本流氓正向他走来。那个家伙估计是看到许立宇可能会与他相撞，他可能觉得好笑，想看看这个不长眼的人的笑话，另外他也压根没有给人让路的习惯。直到这个东张西望、眼神惆怅的男人撞到他怀里，他才冷丁抬手扇了这个人两记重重的耳光。大概还骂了句：“混蛋！没长眼睛吗？”这在中国，也不过是司空见惯的街头小纠纷，互骂几句或互相厮打几下也就完了。可许立宇的反应大出路人的意料，连那个惯于斗殴的日本流氓也没想到，所以他后来毫无防备，几乎是眼睁睁地挨了许立宇一刀。那两个保镖也未及动作。就在他们数米远的地方还站着一对日本巡警。

许立宇挨了耳光后一声未响，表情也没有丝毫变化，似乎对这记耳光早有准备。他转身进了路边的一家店，那是家日用品杂货店，他买或直接从货架上抄了把菜刀出来，揪住那个正神气活现准备往前走的家伙，当颅一刀。

事后，据警方调查，许立宇与那个臭名昭著的日本流氓确实不认识。从他果敢地劈了人家一刀也可知他是不晓得这个家伙的厉害的。凡听说这个家伙大名的人，尤其是日本人无不对其噤若寒蝉。但了解此事的中国留学生们却不这么看，他们普遍认为这里另有瓜葛。也不能说他们完全捕风捉影，或简单地按中国式的恩怨观论及此事。许立宇的表现似乎也不仅仅是把这事当做一个人人皆可遭遇的小侮辱看，从他迅速、连贯、一气呵成的反应动作和反应之强烈之凶猛之过当也给人以借题发挥、蓄谋报复的印象。

既然对方是个横行街头的黑社会恶棍，不难想见他会和许立宇在他所从事的职业上发生纠葛。黑社会主要工作便是控制街头的活动，他们把持赌博、卖淫，连垃圾婆都要收税，怎么能看着许立宇大发横财而不从中勒索派捐？在中国对黑社会闻所未闻的许立宇又怎么能对这种敲诈不感到窝囊？开始他大概是忍了，但这种敲诈是无止境的，逐步升级的，有可能会变得忍无可忍。事情发展的具体过程我无从想象，但这种可能性是存在的，其中合理的成分相当多，遗憾的是终究无法得到证实。

再有一种猜测，是因为女人。从朋友闪烁其词的讲述中，许立宇似乎有一个妓女朋友。一个妓女和黑社会的联系是显而易见的，虽然朋友也不能提供任何这个妓女与此事有关的证据。

十六

那是个中秋节之夜。考虑到刀劈事件是发生在秋初，这个中秋节应该是上一年。

我不知道当代的日本人还过不过中秋节，但老派的日本人一定知道中秋节对中国人意味着什么。

那天许立宇邀了一些男女留学生到他家一起过节，可以想象，他们竭尽所能想把这个聚会搞得热闹一点。炒几十个菜那是毫无问题的，酒的种类也很多，供应也充足。可尽管大家竭力凑趣，聚会仍没能热闹起来。边喧嚣，边高歌，边纵饮，笑声不绝，谑语不断，可这聚会总笼罩着一种若有若无的凄凉。经常在一个笑话刚讲完，沉默便如不速之客突然而至，使场上的欢乐气氛像断了电一样戛然而止，挂在每个人脸上的笑容便显得残破、可怜。直到另一个人强撑着再次开口，才得以使笑声生硬地续接下去。大家都搜肠刮肚地想些有趣儿的话，但愈来愈多的人陷入沉默，不少平时有些酒量的人也都很快醉了。大量的酒非但没有活跃气氛反倒窒息了人们想乐一下的心情。不到半夜，这聚会已变成各怀鬼胎、冷漠相视的枯坐，没人再动一下那些已经变得冰凉油腻的菜肴。

那些孤处异国的男女留学生多数都已互相结成了一种暂时的

情人关系，彼此寻求温暖。这时，他们陆续一对对告别了，回到各自的住处用肉体的刺激来慰藉精神的苦涩。公寓里只剩下许立宇一个人和一大桌杯盘狼藉的残羹剩饭。

浑圆无缺的月亮使许立宇益发感到无地自容，皎洁的月光更使他周身清冷，月光温柔的笼罩令他希冀告慰的愿望格外强烈。

他出了门，驾驶着他那辆旧车在东京街头游荡。我们都知道新宿和银座是东京的繁华中心，那儿即便是平日也是一派节日气氛，高楼大厦光芒万丈，各种娱乐场所光怪陆离。这一切耀眼的光芒投射到许立宇昏暗寂寞的心中，会使他产生什么样的感受呢？

他带了足够的钱，足以买到一次销魂。

实际上这不需要下多大决心，鼓起什么勇气，只要他单身往那条街里走上几步，就会受到无数热情，甚至是半拉半拽的邀请。

他注定要和这些门后隐藏的一个姑娘相遇。

他进了一家妓院，那家妓院的姑娘像一座大金鱼缸里游弋的各色金鱼，穿着极透明地在一扇大玻璃幕墙后任人观赏。

他用日语对老鸨说他要一个日本姑娘。

老鸨告诉他这都是地道的日本闺秀，有大学生，有名门小姐。

他指中了一个极文静极清秀的姑娘，那姑娘便温顺地迈着碎步低头跟着他进了里面的一个房间。

那是个什么样式，服务中有多少花招的妓院我不清楚，究竟是日本浴还是泰国浴也无从考证。反正进屋后的程序中有一道是洗澡。许立宇进屋后才真正感到畏怯。他严肃地用日语和那个姑娘聊了几句，那姑娘简单地告诉了他一些自己的身世，她是个正在读室内装潢设计的学生，为了买一套高级美术用具出来挣钱。他拒绝了那姑娘为他殷勤地宽衣解带，拒绝了那姑娘和他同浴。自己进了浴室泡在热水中仍无法说服自己像个花了大价钱的主顾无耻起来。思前虑后，又兴奋又焦虑，拿不准自己会给这个漂亮的日本姑娘最终留下什么印象。他很想给她留个好印象，又怕被她看出是个雏儿遭到轻视。这时，他听到几个熟悉的字眼儿从虚掩着的浴室门飘进来，他浑身一震，血都涌到头上。在哗哗流淌的水声中，他清晰地听到外间有人在说中国话。

那个姑娘正在悄悄打电话，似乎是打给远方亲人的越洋电话。接电话的也许是她妈妈，她正向家人问候节日。她的语调欢快、亲热，还带有几分撒娇。她抱怨没收到家里寄来的月饼，嗔怪家里人不关心她。她叫爸爸接电话，问爸爸为什么不给她写信，每回都是妈妈来信。她关心爸爸的身体，说自己在日本一切都好，日本的同学老师都对她很好，知道今天是中秋节专门为她做了点心，老师还请她去吃了晚饭。打工一点都不累，挣的钱也不少。老板娘对她很关照，不让她接不三不四的客人。来店里的日本人也都很规矩，对她很客气……

她突然住口不说了，她看到许立宇裹着浴巾站在浴室门口呆愣愣地望着她。她立刻恢复了职业性的微笑，用日语对电话里说了句：“多保重。”放下电话迎了上来。

许立宇用中国话问她：“你家住在北京什么地方？”

淫荡的、寻欢作乐的气氛荡然无存。此时此刻，在这间日本妓院花哨、俗气、四壁镶满亮晶晶镜子的房间内只是一个中国人遇到了另一个中国人，一份他乡遇故知的惊喜和感动。中秋之夜的特殊气氛在这两个中国人的心里加深了感触，使他们不由得对对方另眼相看，使习以为常的相遇具有了一种格外动人、格外意味深长的韵味。他们不感到羞愧，只感到难得、幸运，似乎是一种苍天有意的昭示和安排。对方的不期而至在这时成了一种颇为神秘颇含寓意的象征。

他们之间的契约关系顷刻间便为一种更牢靠更真诚的义务纽带所替代。

可以想象，他们之间随之而后的交谈，无论在旁人听来多么辛酸，多么饱蘸血泪，而在他们心中则只会激起阵阵暖流和温馨，令他们为之动容，为之欣悦。

据朋友讲，国内的人听到同胞在异国沦落如此，无不表情惨淡，心中酸痛，为之感叹，为之惋惜，甚至怒发冲冠，大骂资本主义，大骂不肖子孙。而身在异邦的留学生便不会如此激动不安。此类境遇实为司空见惯，并非受逼不过，只为人所不同的手段之一。在日本的中国女性大都要靠男人，区别仅在于是卖给一个人还是卖给所有人。

做妓女并不特别下贱，只是运气不好，更谈不上道德败坏，资产阶级思想严重。

他们在北京住得不近，但在日本想来，住得也不远。许立宇对姑娘家那条街很熟悉，经常在那条街开车载客。他对那条街马路宽窄、楼群朝向，以及有哪些著名去处，路边种的是什么种类的树木都能一一道来。

也许他们在那条街就曾见过面，但来去匆匆，或淡然一瞥或偶一回眸。他们的回忆充满了童趣与天真，如同两个青梅竹马的伙伴在津津有味地回忆儿时时光。他们甚至搜寻出了共同认识的某个人，虽然这个人也许是路口卖冰棍的老太太，也许是一个常年在街头嬉闹游荡的女疯子。

他们已不再是妓女和嫖客的关系。我有理由相信，他们之间萌发了温存的念头和诚挚的情感。他们在分手时会感到依依不舍和彼此留恋。这可能使他们在中秋之夜以后的日子继续保持来往，而进一步的接触无法不使他们的感情进一步加深。

他们都不是盲目脱离现实的幻想型的人，他们都将每日面对既定的现实生活。这个现实是会使他们保持冷静还是重重刺激了他们原已麻木安然的心灵？更超然了还是尤其敏感了？

到底许立宇和那个卖春的中国姑娘之间的感情属于什么性质无从知悉。他们要仅仅是互相慰藉那是很容易的，也是不会有人妨碍他们的。但他们要是想改变现状，起意于他，那一切都不可逆料。

人在两可之间是最受折磨的，而这种两可局面持续时间愈长，平衡愈难维系，人也就愈会作出极端选择。一旦压倒性的决断出现，人便可能铤而走险。

朋友驳斥了许立宇被处极刑的消息。实际上那个挨了许立宇一刀的黑社会头子仅仅负了伤，虽皮开肉绽，血流满面但根本没有生命危险。况且日本似乎是个废除了死刑的国家，很久以来就没听说过处决过犯人。再说许立宇是个外国人，这种情况一般连普通刑罚都不加身，也就递解出境了事。关于死刑的传说是危言耸听和可笑的。

“除非自杀，否则他肯定活着，没准就在国内。”朋友说。

真相究竟如何，朋友也不知道，但他向我保证，他能打听出许立宇的最终下落。

十七

朋友一去杳如黄鹤，对他的保证没有践诺。可能是没有打听到确切消息，也可能是忘了。这也怪不得他，在这个时代人人都有一大堆麻烦事，自顾不暇，谁还会特别关心一个人出现或消失，犹如非洲草原上逐水草而居的角马在迁徙的路途上无视倒毙、掉队被捕食的同伴。

电视画面告诉我们，在自然界食草动物的任何一次大规模迁徙踏过的路途都会遗留大片、一望无际的累累尸骨。

以后的传言更加含混，语焉不详，我甚至无法确定是许立宇的故事。它们更像是一种传说，经过无数民间口头文学家加工、渲染过后的多彩多姿的神话。如果和许立宇确有联系，也仅是借用了他的实况作为故事的起源、出发点和泊靠码头，作为文学家们想象力获得高度那有力地一跳所蹬踏的跳板。

事实与真相已被无可挽回地歪曲了。

我在一本很好的杂志上看到一篇文字相当考究的小说，这篇小说的故事框架使我怀疑脱胎于许立宇的故事。其中却有许多我所不知道的新鲜情节。有些明显是作者为了使故事更浑圆，更具人生感悟，或纯属为了讲述节奏、起伏褶皱等技术需要而设置的草蛇灰线。有些则煞有介事，但究其底里，也不难看出是为了制造效果，为了使事件发生更具逻辑、不可逆和在所难免。

这小说讲的是一个中国留学生到了美国，这个留学生在国内是个可疑的艺术家，似乎是个才情超人的画家。这就是作者将身自拟了。小说没有明确讲明这个在国内前程看好的艺术家为什么要到美国。作者在这里似乎陷入了两难。他大概既不愿强调美国是片自由的也就是艺术的沃土以免触怒当局同时又显得浅薄，也讳言此人自视颇高欲壑难填这也难免不显得此人妄自尊大期期艾艾。这种躲躲闪闪的表述，其效果并无可能无限动机深邃之慨，倒显得此人既得陇复望蜀，仅出于自我感觉良好便盲目奔向不可知。作者再反复强调此人到美国不是为淘金，也不能使其行为高尚，令读者不指摘他其后的一连串遭遇非出于咎由自取。

此人到了美国，身份、地位自然一落千丈，这既反映了真实又表露了作者对资本主义制度的恐惧和身为黄种人所深感到的不公平。虽然作者给了主人公乐天、旷达甚至有几分无赖的性格，但字里行间沉痛感、悲辛感处处可辨。

和许立宇的故事一样，小说主人公在一个节日之夜孤苦伶仃，意欲寻求温暖。在唐人街街头邂逅了一个中国妓女。不同的是那个节日是中国的春节，而那个妓女则是主人公的旧日梦中情人。他们曾在同一所大学的不同系念书，主人公的单相思一直未被那位姑娘体察，她甚至都不认识主人公，仅把他当做一个有利可图的商业机会，向他献媚，卖弄风骚。她在校期间先于主人公出国，主人公曾幻想过在异邦和自己的意中人相遇，但做梦也没想到会是在这么一种情形下相遇。这一点我在那位女士一出场便料到了，我猜作者不会落入这个俗套，但他还是不由自主地掉了进去。他大概无法拒绝这样一种关系的人在这样一种凄惨的情况下相遇那种感慨万千的效果的诱惑。也许他在把心目中高傲的公主安排这么一个下场时心中充满了阴暗的快慰。我怀疑作者在爱情上有过难于启齿的惨痛经历。他的挫折感、受辱感都通过这一情节发泄出来了。

接下来的一段对话十分精彩。一个懵然无知，只当他是嫖客，无耻纠缠。一个深知底细，貌似调笑句句暗藏机锋，直刺对方心中隐秘。那效果真是惊心动魄，令人激动不已，毛骨悚然。

可以看出，作者在写这段文字时是有生理快感的。

这时，他也把自己逼上了绝路，那个风尘女子再不能是厚颜无耻、麻木不仁的。她必须是敏感的、机智的、毫无困难就能领悟的。作者可不想让自己的聪慧狡黠变成对牛弹琴。

然后就是一段孽缘，作者在写这段时心情错综复杂，他很想一了夙愿，但又对在这个已经残破、腌臜了的女人身上获得胜利是否真是无可置疑的胜利拿不定主意。他犹豫再三，还是勉强通过他的主人公和这个女人睡了。

接下来他便开始勾勒这个女子与其他风尘女子的本质上的不同。毫不吝啬地为这个女子使用大量的美好词汇，突出她身上那些未被烟花生涯磨损了的，在良家妇女身上都是罕见的，任何男人都为之向往的优良品质和可爱性格。给人感觉，即便是个妓女和她睡了也不亏。甚至更可贵，激起了一个阅人无数的风尘女子的真挚感情还不可贵吗？差一点就值得夸耀了。

作者毫不困难地使他的作品具有了一种现代观念，一种令所有迷恋贞节观的俗人自惭形秽的高人一等的倾向。

让我们摆脱开这个喋喋不休的讨厌的作者吧！

主人公和这个卖笑女子之间有了一种难舍难分的依赖情结。作者还没有义无反顾地迫令他的主人公娶这位女子。但显然，他使主人公对这个女子产生了强烈的责任感。救风尘是每个正直、善良的中国男人义不容辞的责任。所幸作者还没有让他的主人公说出那些道貌岸然的话，用道德的说教来使堕落者幡然悔悟。如果他的主人公说出“饿死事小，失节事大”这类的屁话，我会立刻合上书，中断阅读。

他的主人公在认识了那个妓女数月后回国了。为一件与此无关的事，有朋友介绍他陪伴一个想开拓中国市场的公司老板到中国考察。如果他干得好，受到老板的青睐，他很有可能成为这家资金雄厚、业务范围广泛的大公司的正式雇员。

这种回国旅行是很风光的。食宿均由老板包了，当他和老板用英语亲密交谈时，周围那些豪华饭店的男侍们一定是神态毕恭毕敬的。他的一个手势，一声轻轻的吩咐都会得到迅速而至的殷勤服务。

由于这家公司在世界贸易中的地位，他还随老板受到了相当一级政府官员的接见。那些赫赫有名的大人物都和他亲切地握了手。得知他是从大陆出去的，还鼓励了他几句，多做些加强中美人民友谊的工作，要“爱国爱乡”，“多回来走一走，四处看一看”。

他在回国期间，去了那位风尘知己的家一趟。这段描写非常感人。

那位少女的父母是一对身心交瘁、勤劳奉仁的中年知识分子，老实得连客气、寒暄都很慌张。去国万里的独生女儿是他们掌上明珠。他们本来是舍不得、不放心女儿远行的。但女儿大了，要按自己的志趣生活。他们很开通，同意也支持女儿去“闯一闯”。他们得知女儿在外面生活得很好，学业大长，生活无忧，便前嫌冰释，眉开眼笑。他似乎听到了两位善良的父母心中一块大石头“砰”然落地。

两个父母很为自己的女儿骄傲。做母亲的更想当然地认为这个来看望她的体面小伙子和她的女儿关系暧昧。她没理由挑剔这个年轻人，也希望女儿在异国有个依靠。对他十分热情，千叮咛，万嘱咐，让他在外面多照应些她的女儿。女孩子娇气、任性，到了外国难免有不顺心的事情。做父母的远在万里之外也帮不上忙，况且女儿大了，有些事也不愿意和父母讲，该批评该劝导的就全由他代劳了。

做母亲的希望女儿能在近年回来一趟，让他们看看。但又连忙讲，看她自己的情形定，不要因此误了学业。回国也需要一笔不小的开支，别因此负债。

母亲再三讲，不要她在国外再为他们买什么东西，他们什么都不缺，只希望女儿学业有成，终身有靠。

一个“想”字没写，但通篇充满深情、厚望。

他从女孩的家中出来，坐在绿荫覆盖的马路牙子默默地流下了泪。

他回到饭店便给那个女孩打电话，可她的公寓没人接。他知道她晚上要工作，便在第二天清晨打，公寓仍是没人接。他从上午打到下午，每隔一小时便拨一次电话，始终没有回音。

这时，他有了一种不祥的预感。到第三天仍没人接电话时，他沉不住气了，抛下了那个正打算去西安看兵马俑的美国老头儿，买了一张飞机票动身回纽约了。

往下的故事就有些不像发生在美国了，从景致的描写和故事发生的地点及其气氛更应该是日本的某处。

主人公回到他所在的那个外国城市，到处找不着那个姑娘，平常有来往的中国留学生没一个知道她的去向。后来他找到了她工作的那个妓院（注意：在这里明确出现了她卖淫的场所，这和前面所写的美国式的卖淫方式有矛盾）。老板娘照旧表示一无所知，当他正要失望而归时，一个和她一块卖淫的中国姑娘悄悄叫住了他，对他说他要找的那个人，不久前和一个外国老头儿私奔了。那个老年嫖客看中了她，他是个很有钱的鳏夫，他说服了她嫁给他。在一个月黑风高之夜，他们一起从这个城市消失了。

主人公不甘心最终得到的是这么个消息。他继续在这个城市寻找她，向所有认识她和那个老头的人打听。终于得知了那个有钱的老头儿在一个偏僻的乡下的地址。

他乘坐高速火车到了一个濒临海边的处于深山中的一个小村庄（至此，我已经可以肯定这是在日本了）。

村庄建于山凹处，四周悬崖峭壁环列，峭壁下有终年奔腾咆哮的海浪不断拍打着礁岩。

村庄已经败落了，青年人都进了城，村里只有老人和孩子。

空旷的街道白天也难得遇见一个人。

一个白发老妪用颤巍巍的声音告诉问路的他，夏末的一天，村里人确实看见那个独居数十年、脾气暴躁的老头儿带回来了一个年轻妇女。他们进了老头儿的大房子后就没露面。几天后，来送信的邮差发现了他们的尸体。派出所的警察也来过了，检查结果是自杀。他们都吃了大量的安眠药，好像怕死不了似的，又都吊在了厨房的门梁上。据说那个年老体衰的老头是在那个年轻女人的帮助下才把自己吊上去的。那个年轻女人看着老头儿拴牢了，怎么挣扎也不会掉下来后，自己才从容不迫地把绳子套在自己的脖子上，一脚踢翻了凳子。

他们死得是那么迫不及待，从外面进屋后，没有触动屋里的任何一件物品，只各自喝了一杯水，大概也是为了吞服安眠药，然后就直接去厨房上吊了。

老妪把主人公领到了那所大房子门前。死者的尸体已经搬走火化了。门上贴着封条，据说死者的儿子已经把这所房子出售了，被一个城里住的律师买去作了别墅，但新房主还没有来过，大概明年夏天才会带着一家老小，开着汽车来吧。

主人公站在阳光强烈的小山坡，望着这个静谧、房舍被树荫半遮半掩的异国小村庄，呼吸着远处大海吹来的腥冷的海风，心中作何感想？作者没有提供，我也不便妄加揣测。

后面的事情与许立宇的事情如出一辙。主人公回到城市，在街上漫无目的地游逛，被一个戴墨镜的大汉撞了一膀子。那大汉劈头盖脸给了主人公几记耳光。主人公转身从路边店铺抄出一把菜刀，揪住大汉劈面一刀，那大汉倒下时，血污横淌的脸上还是惊愕的表情。

小说到此截止，作者没有对主人公的下落予以交代。从作者篇尾行文的语感与语境感觉，作者似乎隐隐暗示，主人公已全然对生死荣辱无所谓了。这就是说，他活下去还是步向死亡可能性同样大。

十八

除了这篇小说，还有一则轶闻，那几乎是个笑话，不知经过多少人之口的转述，到我听到时，讲述者也不知故事主人公姓甚名谁，只是说："一个中国留学生。"

这个笑话讲：一个中国留学生被日本政府驱逐出境，押解上了飞往中国的民航班机。至于为何遭到驱逐，一切无考，在这则笑话中也不重要。

这个留学生上了飞机后，在整个飞行过程中一直郁郁寡欢，心情黯淡，也不和同机的人说话。直到飞机进入中国大陆，从舷窗上可以看到蜿蜒曲折、白浪席卷的海岸线和阡陌纵横、良田万顷的大陆田野，他突然开口了，哼出一段旋律："啊，亲爱的中国啊，我的心还没有变，它永远把你怀念，啊……"

他索性站起来，忘情对全机舱的乘客放声歌唱，一只手还多情缱绻地挥来挥去，帮助他形象地抒发感情。

那机舱内，除了一些出国访问归来的中国官员，还有一些留学生，最多的是一个大型的日本旅游团的成员。这些戴着同样式帽子的日本男女率先为他的歌唱鼓掌。他唱得的确声情并茂，那些中国人也都不同程度地受到感染，或感慨，或赞许，或觉得好玩，连忙碌的空中小姐都报以欣赏的微笑。

机舱里的气氛因他的歌唱而变得热烈。

谁也没注意，连他自己也没发现，他唱的是一首由流亡中国多年、多才多艺的柬埔寨西哈努克亲王所作词谱曲的歌。

“……我们高棉人民，有了你的支持，就能够赢得胜利，啊——”

唱到这里，他才觉得不对味儿，歌声戛然而止，皱着眉头纳闷地坐下了。

掌声更热烈了。

十九

据说，那架飞机没有按预期降落在北京首都国际机场，在下降时出了机械故障，起落架放不下来，又拉了起来在空中盘旋。

后来，首都机场因天气原因关闭，那架飞机不知降到外省哪座机场去了。

那天去迎接那架飞机的旅客的人们都失望而归。

王朔主要作品年表

【1978年】

《等待》（短篇小说）发表于《解放军文艺》第11期。

【1982年】

《海鸥的故事》（短篇小说）发表于《解放军文艺》第8期。

【1984年】

《空中小姐》（中篇小说）发表于《当代》第2期；

《长长的鱼线》（短篇小说）发表于《胶东文学》第8期。

【1985年】

《浮出海面》（中篇小说）发表于《当代》第6期。

【1986年】

《一半是火焰　一半是海水》（中篇小说）发表于《啄木鸟》第2期；

《橡皮人》（中篇小说）连载于《青年文学》第11、12期。

【1987年】

《枉然不供》（中篇小说）发表于《啄木鸟》第1期；

《人莫予毒》（中篇小说）发表于《啄木鸟》第4期；

《顽主》（中篇小说 ）发表于《收获》第6期。

【1988年】

《痴人》（中篇小说）发表于《芒种》第4期；

《人命危浅》（中篇小说）发表于《蓝盾》；

《毒手》（短篇小说）发表于《警坛风云》；

《我是狼》（短篇小说）发表于《热点文学》；

《各执一词》（短篇小说）发表于《文学故事报》；

中篇小说集《空中小姐》由中国青年出版社出版。

【1989年】

《一点正经没有》（中篇小说）发表于《中国作家》第4期；

《千万别把我当人》（长篇小说）连载于《钟山》第4、5、6期；

《永失我爱》（中篇小说）发表于《当代》第6期；

长篇小说《玩的就是心跳》由作家出版社出版。

【1990年】

《给我顶住》发表于《花城》第6期；

《王朔谐趣小说选》由作家出版社出版。

【1991年】

《我是你爸爸》（长篇小说）发表于《收获》第2期；

《修改后发表》（中篇小说）发表于《小说家》第4期；

《无人喝彩》（中篇小说）发表于《当代》第4期；

《谁比谁傻多少》（中篇小说）发表于《花城》第5期；

《动物凶猛》（中篇小说）发表于《收获》第5期。

【1992年】

《你不是一个俗人》（中篇小说）发表于《收获》第2期；

《懵然无知》（中篇小说）发表于《都市文学》；

《许爷》（中篇小说）发表于《上海文学》第4期；

《过把瘾就死》（中篇小说）发表于《小说界》第4期；

《刘慧芳》（中篇小说）发表于《钟山》第4期；

《千万别把我当人：王朔精彩对白欣赏》（王朔、魏人合著）由人民中国出版社出版；

《过把瘾就死》（著名作家新作大系）、《王朔文集》（纯情卷、矫情卷、谐谑卷、挚情卷）由华艺出版社出版；

《我是王朔》由国际文化出版公司出版。

【1993年】

《海马歌舞厅：四十集电视系列剧》（电视剧本选集）、

《青春无悔：王朔影视作品集》由中国社会科学出版社出版。

【1995年】

《王朔文集》（1—4卷）由华艺出版社出版。

【1998年】

《王朔自选集》由华艺出版社出版。

【1999年】

长篇小说《看上去很美》由华艺出版社出版。

【2000年】

《美人赠我蒙汗药》（对话集）由长江文艺出版社出版；

《王朔最新作品集》由漓江出版社出版；

《无知者无畏》（随笔集）由春风文艺出版社出版。

【2001年】

《文学阳台——文学在中国》、《美术后窗——美术在中国》、《电影厨房——电影在中国》、《音乐盒子——音乐在中国》等“文化在中国”网站系列丛书由上海文艺出版社出版。

【2003年】

王朔文集（包括《顽主》、《过把瘾就死》、《我是你爸爸》、《玩的就是心跳》、《篇外篇》、《橡皮人》、《千万别把我当人》及《随笔集》）由云南人民出版社出版。

【2007年】

小说集《我的千岁寒》由作家出版社出版；

长篇小说《致女儿书》由人民文学出版社出版；

小说随笔集《新狂人日记》由长江文艺出版社出版。

【2008年】

长篇小说《和我们的女儿谈话》第一部发表于《收获》第1期，并由人民文学出版社出版。

图书在版编目（CIP）数据

动物凶猛 / 王朔著. — 北京 ：北京十月文艺出版社，2016.6
（王朔文集）
ISBN 978-7-5302-1564-7

Ⅰ. ①动… Ⅱ. ①王… Ⅲ. ①中篇小说—小说集—中国—当代 Ⅳ. ① I247.5

中国版本图书馆 CIP 数据核字（2016）第 057130 号

动物凶猛
DONGWU XIONGMENG
王　朔　著

出　　版　北京出版集团公司
　　　　　北京十月文艺出版社
地　　址　北京北三环中路 6 号
邮　　编　100120
网　　址　www.bph.com.cn
发　　行　新经典发行有限公司
　　　　　电话（010）68423599
经　　销　新华书店
印　　刷　北京盛通印刷股份有限公司
版　　次　2016 年 6 月第 1 版
　　　　　2022 年 10 月第 11 次印刷
开　　本　850 毫米 ×1168 毫米 1/32
印　　张　9.5
字　　数　210 千字
书　　号　ISBN 978-7-5302-1564-7
定　　价　45.00 元
质量监督电话　010-58572393